DAFYDD ROWLANDS

YSGRIFAU
YR HANNER BARDD

Y FEDAL RYDDIAITH 1972

Llys Eisteddfod Genedlaethol Cymru
1972

Argraffiad Cyntaf - Awst 1972
Ail Argraffiad - Medi 1972
Trydydd Argraffiad - Awst 1979
Pedwerydd Argraffiad - 1988
Pumed Argraffiad - Mawrth 1996

SBN 85088 162 5

Argraffwyd gan
J. D. Lewis a'i Feibion Cyf., Gwasg Gomer, Llandysul

CYNNWYS

' The essayist is really a lesser
kind of poet '.

—Arthur Christopher Benson,
The Art of the Essayist

SGIDIE BACH LLANDEILO

'Dyw'r plant ddim yn deall y berthynas. Ond fe ddôn' nhw i ddeall ryw ddiwrnod. Yr hyn sy'n ddirgelwch iddynt yw'r ffaith bod plentyn mor ifanc yn gallu bod yn wncwl. Ac wedi'r cwbl nid hawdd yw meddwl am grwt bach dwyflwydd oed yn ewythr i ŵr deugain oed. Ond efallai y dylwn egluro.

Nid wyf yn un o'r gwŷr ffodus hynny sy'n ddigon cefnog i grynhoi o'u cwmpas ryw drysorau prin a drudfawr—yr olew gwreiddiol ar gynfas, y dernyn bach o farmor cerfiedig, argraffiad cyntaf hen gyfrol. Fe'm temtiwyd, rai blynyddoedd yn ôl, i brynu hen gar blinedig y bu Lloyd George, medden' nhw, yn eistedd wrth ei olwyn. Ond yr un oedd y stori—nid wyf yn un o'r gwŷr ffodus hynny sy'n ddigon cefnog i grynhoi o'u cwmpas . . . Ac eto, mae gen' i ryw betheuach y byddwn yn drist iawn o'u colli—bric-a-brac y blynyddoedd y mae iddynt arwyddocâd personol neu gysylltiad teuluol. Mae llun Leusa'r Injin, mam-gu fy mam-gu, ar wal yr ystafell fwyta, ei phais a'i betgwn mewn olew tenau a di-liw o balet rhyw artist anhysbys o Gastell-Nedd. Ar y silff-ben-tân mae'r tecell pres y bu'r teulu rywbryd yn berwi dŵr ynddo ond sydd bellach yn addurn oer ac yn atgof yn unig am ambell gwpanaid o de a sgwrs. A llu o bethau eraill, yn greiriau'r gwaed a'r gwreiddyn, yn simbolau y perthyn solet. Ond o holl drysorau'r aelwyd hon, sgidie bach Llandeilo yw'r gwrthrychau anwylaf.

Yr oedd fy nhad-cu, o ochr fy mam, fel Naaman y Syriad, yn ŵr cadarn a nerthol. Dyn caled ei gorff, yn treulio'i ddyddiau, a'i nosau ambell waith, yng

ngwres y ffwrneisi dur. Ac ar y Sadyrnau plygai i
wres y pac ar gae rygbi yn y cyfnod pan oedd
chwaraewyr y gêm honno yn gwisgo mwstas a
thrywsus hir. Mae pob llun ohono, yn y tîm
pêl-droed, yn y dosbarth Ysgol Sul, yn arddangos
cryfder y gŵr cyfarwydd â thrin y meteloedd trwm.
'Roedd ganddo fab—John, ei unig fab, yn ddwy-
flwydd oed ar ddechrau'r ganrif. Mae gen' i erbyn
hyn dri mab, ac mae un ohonynt ar hyn o bryd yn
ddwy. Fe'i gwelais fwy nag unwaith yn cydio yn
sgidie bach Llandeilo ac yn ceisio'u rhoi nhw am ei
draed. Ni allwn lai na theimlo rhyw ias erchyll o
bryder wrth ei weld yn agor y tafodau lleder a
gwthio bysedd ei draed at y gwadnau. Sgidie John
oedd y rhain, pan oedd yntau'n ddwyflwydd oed.
Fe'u gwnaed yn Llandeilo gan grefftwr o grydd, ac
mae'r hoelion bychain yn dal yn ddisglair ddi-rwd.

Yr oedd 'nhad-cu yn arddwr gofalus a chymen a
John oedd gwas bach y pridd. Pan fyddai'n gweithio
gyda'i dad yn yr ardd, yn rhedeg yn y rhychau
agored, yn chwynnu o gwmpas y llysiau bras, a
gwasgu ambell abwydyn tew rhwng y bysedd,
byddai sgidie bach Llandeilo yn glyd am ei draed.
Digwyddodd, yn un o dymhorau'r pridd, i John gael
ei gymryd yn wael, gwanhau, a marw'n sydyn cyn
bod yn dair. Ar ôl claddu'r plentyn, âi fy nhad-cu
yn dawel i'r ardd a sefyll ar y llwybr i edrych ar y
tyfiant byw. Ac yno yn y pridd yr oedd ôl y sgidie
bach, marc y traed bychain, pwysau ysgafn y mab.
Fe drôdd y tad yr ardd, yn ôl ei arfer, pan ddaeth yn
amser gwneud hynny, ond ni allai osod y bâl yn y
dernyn hwnnw o ddaear lle 'roedd argraff ei blentyn.
Ond fe ddaeth y gwynt a'r glaw â'u cymwynas.

Mae sgidie bach Llandeilo yma bellach, yn

drysorau i mi ac yn deganau i'r plant. Sgidie Wncwl John ydynt i minnau, Wncwl er ei fod yn marw'n ddwyflwydd oed. A 'dyw'r plant ddim yn deall. Nawr ac yn y man fe ddaw'r cais oddi wrth un ohonynt—' Dwedwch stori'r sgidie bach '. Ac fe adroddir eto hanes y plentyn yn y pridd.

Nid wyf yn siŵr i ba un o'r tri mab y dylwn roi'r sgidie ryw ddydd a ddaw. Pwy a ŵyr na fydd yng ngwythiennau yr un ohonynt yr ymdeimlad sydd ynof i o berthyn i'r olion traed hynny yn yr ardd. Efallai fy mod yn rhamantu gormod, ac yn gwneud fy holl anadliadau yn acenion rhyw gerdd ffansïol, ond ni allaf yn fy myw lai na theimlo, pan fyddaf yn codi'r llwch o'r lleder a glanhau'r sgidie duon, fod dwyflwydd y crwt bregus a gollwyd yn rhan ohonof i fy hun ac yn rhan o'm bechgyn innau. Ond nid olion ei draed ef yn unig sydd yn y pridd dwfn y tyfodd fy ngwreiddyn ohono. Rhyfedd o beth yw'r ôl traed a welir mewn ambell fan yn America, wedi'i galedu mewn craig dan ddŵr bas—ôl traed y creadur anferth a fu'n pori yn y fforestydd dŵr gan filiwn o flynyddoedd yn ôl, y creadur y mae ei ysgerbwd noeth ynghudd dan haenau'r amseroedd. Y mae i'r creadur hwnnw ei berthynas heddiw. A phan fydda'i'n cerdded ar draeth Llansteffan, ar draws y tywod gwlyb hwnnw sy'n rhoi o dan y traed, nid fy mhwysau fy hunan yn unig sy'n gwasgu'r esgidiau i feddalwch y traeth.

> 'Ynom mae ein hynafiaid
> Yn ïau a gwaed a gwêr,
> Yn rhuddin yn ein hesgyrn,
> Yn drydan yn ein mêr '.

Ym mhatrwm y cromosomau y mae John a'i dad,

y plentyn diniwed a gŵr cydnerth y ffwrneisi agored.
Ym mrodwaith y genedau y mae Leusa'r Injin—yr
hen wraig yn ei gwisg Gymreig yn sefyll wrth y
gamfa bren yng Nghilybebyll.

Fe ofynnwyd imi rywdro gan rywun a glywsai fy
mod yn un o'r bechgyn od hynny sy'n ysgrifennu
ambell bennill, a oedd yno fardd yn llechu yng
ngorffennol y teulu. A hyd y gwyddwn 'doedd yno'r
un.   Ond fe'm goleuwyd yn ddiweddarach gan
berthynas i mi sy'n byw yn Nhrebannws. Fe wyddai
hwnnw am Leusa'r Injin a theulu fy mam-gu, ac
mae ganddo yn ei feddiant ddau wrthrych y byddai'n
dda iawn gen' innau gael fy nwylo arnynt—hen
Feibl a hen gloch. Yr oedd perchennog y ddeubeth
hynny yn hen hen ewythr imi na wyddwn am ei
fodolaeth hyd yn ddiweddar.   Ef mae'n debyg
fyddai'n cyhoeddi newyddion yn y gymdogaeth—
dyna bwrpas y gloch—ond nid cyhoeddwr cyffredin
mohono, nid rhyddiaith mo'i gyfrwng. Cyhoeddai
fanion ei wybodaeth ar gân mewn rhigymau.   A
bellach pan ofynnir y cwestiwn ynglŷn â bardd yn y
teulu mae gennyf ateb gwahanol. Ac mae'r rhigymwr
hwnnw yng ngwead genedol fy meibion.   Nid
syndod felly fyddai gweld un ohonynt ryw ddiwrnod
yn ddarllenydd newyddion ar sgrin deledu. Ond nid
Tribannau Morgannwg fyddai siâp ei gyhoeddi ef.

' Dwedwch stori'r sgidie bach '. Hoffant y stori,
ond ni allant ddeall natur y berthynas rhwng y crwt
bach a'r gŵr canol oed sy'n adrodd yr hanes ; ni
allant amgyffred gafael y gadwyn sy'n cysylltu'r
cenedlaethau.   Ond fe ddôn' nhw i ddeall ryw
ddiwrnod. Bryd hynny fe gaiff un ohonynt sgidie
bach Llandeilo yn drysorau iddo'i hun ac yn
deganau i'w blant yntau.

CLEFYD

Nid wyf yn gallu nodi'n bendant derfynol, fel y gall ambell un a gafodd droedigaeth sydyn ac annisgwyl, pa bryd y gafaelodd y clefyd ynof. Ond mewn gwirionedd 'dyw gwybod y dyddiad, neu gofio'r man, ddim yn help i ddeall natur y dolur. A hyd y gwela' i fydd yno ddim gwella. Mae crafang-au'r afiechyd bellach wedi ymblannu'n ddwfn a diogel ynof, ac ni fydd ymryddhau o'u gafael. Am wn i nid oes yng Nghymru lawer ohonom—rhyw griw dethol ydym yn dioddef o haint arbennig iawn.

Wrth reswm, mae'r clefydau eraill, o bryd i'w gilydd, yn gwasgu'r gwaed ac yn codi'r tymheredd, yr afiechydon traddodiadol hynny y mae cymaint ohonom yn syrthio i'w maglau didostur. Mae treulio diwrnod yn yr haul ar gae emrallt San Helen yn falm i enaid gŵr o Forgannwg. Teimlo'r gwres melyn ar gnawd noethlymun y breichiau, a gwylied y bêl ysgarlad yn saethu ar hyd y gwair crop at farc y ffin. Y sŵn siarp pan fydd pren gwyn yr helygen yn taro'r lleder, y sŵn sy'n deffro yn y cof y campau a fu a chnawdoli eto'r darluniau gwefreiddiol : Willie Jones yn brasgamu ar goesau pwt wrth fynd i gwrdd â'r bêl, a'i chodi hi'n saff dros y wal a'i rhoi yn deidi ar ffordd hen drên y Mwmbwls ; Emrys Davies, ei wallt yn britho dan y cap glas tywyll, yn goglais y lleder crwn rownd ei goesau hamddenol a'i wylied dros ei ysgwydd wen yn treiglo'n ddiffwdan i gasglu pedwar rhediad arall ; Wooller, fel bustach anniben, yn pedoli ei ffordd yn afrosgo at farc dwfn y bowliwr cyn gollwng y bêl o'i ddwrn peryglus i gyfeiriad y batiwr anniddig ; a'r gwylanod yn flodau ar y maes. O ydy, mae'r clefyd hwnnw'n cyflymu curiad y galon ambell waith. A'r dolur arall, dihafal i Gymro o'r iawn ryw, y dolur sy'n llorio'r cadarnaf ymhlith plant gwragedd—dolur y crysau cochion ar Barc yr Arfau pan fo gwŷr y rhosynnau, ' a lleufer yn eu llygaid ', yn wan yn llaid y gaeafau Cymreig. Ni allwn ond dioddef o'r doluriau hynny. Mae magwrfa crwt bach y cymoedd mwg yn ei gyflyru'n gynnar a'i wneud yn brae hawdd i'r feirws na ellir dianc rhagddo. Ond ni wn i o ble daeth y feirws arall, cludydd y clefyd estron, clefyd y moduron cyflym.

Diau fod a wnelo'r gwendid â'r car agored coch hwnnw a brynais yn nyddiau braf y blynyddoedd rhydd. Mor wahanol oedd y creadur llyfn hwnnw i'r hen Ffordyn Wyth annwyl, ond araf, y dechreuais fy mhrentisiaeth fodurol wrth ei lyw. Rhyw ddiacon bach o gar du oedd y Ffordyn hwnnw, hen gar musgrell y buasai cerbyd miniog Buddug wedi ei oddiweddyd cyn symud o'r gêr isaf, hen gar a fynnai aros, fel rhyw gaseg ufudd, bob tro y deuai i gylch aroglau tafarn arbennig yng Nghwm-gors—a thuedd oedd honno, am wn i, a adlewyrchai'n fwy ar berchennog blaenorol y cerbyd nag ar y cerbyd ei hun. Bu'n gyfaill teyrngar, yn gystal ffrind ag y bu'r motor-beic anfarwol hwnnw, KC 16, i'w farchog yntau. Ond wedi'r cyfan, gwerinwr o fodur ydoedd. Nid felly'r car coch ; perthynai hwnnw i ddosbarth amgenach. Ni allai gystadlu â *Hispano-Suiza* Mrs. Beste-Chetwynde, ond gallai o leiaf gwmnïa'n ddigon hyderus â *Daimler* S.P. 250'r deintydd lleol. Ac 'roedd hynny'n rhywbeth. Dywedai ambell un o'm cydnabod, hyddysg mewn seiciatreg, fod y gair swil hwnnw, *rhyw*, wedi'i lythrennu'n agored ar y trwyn hir ac isel, ond ni chefais innau un prawf concrid o hynny. Fe'm cyflwynodd nid yn gymaint i fyd y gwefrau cnawd ag i fyd gwefrau y symud yn gyflym, profiad trydanol y gwthio dychrynllyd yng nghefn y gyrrwr anghynefin â sbîd, gwefr cyrraedd y cant a mynd heibio iddo, a'r gwynt yn storom yn y gwallt.

Nid anghofiaf fyth daith hudol i Fôn ar noson glir o hydref. Chwarae mewn drama yn Llangefni ar ryw Sadwrn cyn y gaeaf, a gadael Abertawe ar ôl te ddydd Gwener. Y to meddal wedi'i blygu o'r golwg a choler y got drwchus i fyny, ac o dan y sêr gyrru'n olau rhwng cloddiau gwelw Sir Gâr a Cheredigion. Dod allan o'r car ym Machynlleth a nodwyddau'r nos oer yn gwaedu'n orfoleddus i'r gruddiau, a'r corff iach yn ysu am fwyd. Tân coed mewn ystafell gynnes a phryd maethlon, ac yna ail-gychwyn am Feirionnydd ac Eryri a Môn, a'r un sêr cyfeillgar yn gwylied y mynd agored cyflym, a'r gwallt eto yn rhydd i'r nos. Hiraethaf 'nawr ac yn y man am siwrne felly o arafwch y rhigolau hyn lle nad oes awel i annibennu'r gwallt na sêr i lawio'n llawen i glydwch y sedd isel. Rhwng yr olwynion hynny yn rhywle y'm brathwyd gan feirws y moduron lluniaidd.

Euthum yn bererin newydd i Feca'r ffydd, i'r hen faes-awyrennau yng nghanol Lloegr lle'r yngenid enwau hudolus y tadau â pharchedig ofn—*Nuvolari, Caracciola, Chiron, Fangio* . . . Ymgolli yn naws gyfrin y trafod esoterig, yn niwinyddiaeth y peiriannau arian, damcaniaethau arwynebedd y silindrau cudd, dirgelion techneg y drifft, a llefaru enwau'r achau modurol yn gatecism mewn cymysgedd o Eidaleg ac Almaeneg. Deuthum oddi yno a phigiad bychan y grefydd heintus yn llosgi ynof. Bellach mae creithiau'r pla yn drwm arnaf, ac nid oes eli i'w dileu na moddion i'm gwella.

'Does yno ddim byd y gwn i amdano sy'n hollol yr un fath ag awyrgylch Silverstone neu Brands Hatch ar ddiwrnod *Grand Prix*. Rhyw falchder cenedlaethol, rhyw frogarwch bras, sy'n peri bod Parc yr Arfau a chae San Helen yn fannau cysegredig i'r rhan fwyaf ohonom. Ond nid meysydd cadau cenedlaethol fel y cyfryw yw'r meysydd yn Northampton a Chaint. Nid oes a wnelo gwaed y gwythiennau Celtaidd ddim â theyrngarwch yn y mannau hynny. Fe all mai Eidalwr yw'r eilun heddiw. Mecsicanwr neu Albanwr yfory. Nid oes ornest o unrhyw fath sy'n amddifad o swyn atyniadol—swyn lliw a sŵn, swyn disgwyl yr annisgwyl, swyn ennill a cholli. Ond mi fentra' i ddweud bod swyn a rhamant y rasus moduron Fformiwla 1 yn rhywbeth arbennig iawn. Ni ellir disgrifio mewn geiriau y lliwgarwch caleidoscopig o gwmpas y pydewau pan fydd y ceir llathraidd yn cras-chwyrnu allan i'r trac a mynd o gwmpas y cylch unwaith er mwyn ymgynhesu at gychwyn y ras. Ac yna—y cymryd lle ar y grid, pob car yn ei le cymwys, pob gyrrwr yn gorwedd yn ei beiriant cul fel llaw mewn maneg, a haid o fecanyddion yn sicrhau fod popeth yn ei le priodol, pob plwg yn tanio, pob sgriw yn gadarn ddiogel, a phob olwyn yn sownd. A'r sŵn byddarol—ugain neu ragor o beiriannau anghredadwy o bwerus fel petaent yn graddol chwyddo'u hysgyfaint metel nes cyrraedd pinacl uchaf posibl eu sgrechfeydd gyda gostwng baner y cychwynnwr. Cymylau gleision, olwynion yn crafu a thasgu, aroglau rwber, ac olew'n llosgi'n fwg, sawr petrol, a sŵn nad oes mo'i debyg, a'r carnifal gwallgof yn melltennu at berygl y tro cyntaf ac o'r golwg. Yna, am ryw ddwy awr, y cystadlu mwyaf iasol ar rimyn tenau o gyflymdra dieflig a phob car yn ymestyniad peirianyddol o bersonoliaeth, o ddawn a ffaeledd ei yrrwr, a holl synhwyrau'r gyrrwr yn rhyfeddol o fyw i bob cysgod ac awel a charreg a sŵn. A baner y gorffen buddugoliaethus, baner y sgwarau du a gwyn, llawryfon yr ennill a siom y colli. Rhyfedd o ddolur!

Byddaf yn ceisio dyfalu ambell waith a oes arwyddocâd seicolegol i afael y dolur hwn arnaf. Pa gynneddf gudd yn iselfannau'r bersonoliaeth a adlewyrchir yn fy ymateb llwyr i apêl y ceir lliwgar a'r gyrru celfydd? Myfi—y diniweitiaf o ddynion, y gŵr pwyllog a digynnwrf, yr un sy'n barotach i ddioddef poenydio llygad na chaniatáu i rywun dynnu'r lluwchyn o afael yr amrant—yn fyw gan wefreiddio'r gwaed o wylied gornest y mae dieflig-rwydd angheuol yn rhan mor amlwg o'i chymeriad. Ond naw wfft i Freud a'i dylwyth. Mae ambell afiechyd yn anesboniadwy felys, ac felly'r clefyd hwn.

Y DDAU GRWT

Mae gennyf ddewis o ddwy ffordd at fy ngwaith beunyddiol, y naill yn ffordd hydref a gaeaf a'r llall yn ffordd gwanwyn a haf, y naill yn ffordd strydoedd a thai a'r llall yn ffordd llwybrau a nythod. Mae ffordd wledig y tymhorau cynnes yn rhedeg drwy'r Gelli Aur, ac ar dyle hir y pentref hwnnw y gwelais i'r ddau grwt. Bore o frys oedd y bore hwnnw i mi, bore o garlamu anghyfreithlon yn hwyr at orchwylion cynnar y dydd, ac nid oedd gennyf na'r amser na'r awyddfryd i edmygu tegwch y dolydd ac ysblander goludog y perthi. Ond nid oedd yn rhuthr o fore i bawb. Wrth 'foelyd o dop y pentref, heibio i'r ysgol fach a'r eglwys, gwelwn ddau grwt yn symud i erchwyn gwyrdd y ffordd ac aros yno'n llonydd hyd nes i'r perygl olwynog fynd heibio. Dau fachgen bach yn araf ymlwybro at dasgau sialc eu dydd hwythau, yn hamddenol anfodlon fel malwoden ' y Bardd '. Fe allai mai brodyr oeddynt— 'roedd y naill yn dalach na'r llall, ac yn hŷn. Ni allaf bellach ddwyn i gof siâp eu hwynebau neu liw eu gwallt, na chofio manion eu gwisg. Un peth a'm trawodd y bore hwnnw, a'r un peth yna sy'n dal o hyd yn fy meddwl yn llun eglur a byw—'roedd y naill yn cydio yn llaw y llall, y mwyaf yn gafael yn llaw y lleiaf, y naill yn gofalu am y llall. Bûm y ffordd honno droeon wedi hynny, ond ni welais mohonynt yr eilwaith. Diflannu a wnaethant fel dail y Gelli Aur i niwloedd y Tachweddau llwyd. Ond arhosodd y cydiad dwylo yn fy nghof fel ysgythriad amrwd ar fur ogof.

Fflach o brofiad oedd y gweld sydyn hwnnw, rhyw sylwi yng ngolau'r fellten, fflam y canfod sy'n llosgi

argraff ar y cof. 'Wn i ddim paham y dylai dwy law
fach gydio ynof a'm hysgwyd felly. Ond fe ddi-
gwyddodd. Am wn i, nid y dwylo eu hun a afaelodd
ynof yn gymaint â'r cydiad dwylo, plethu clos y
bysedd, simbol y berthynas rhwng dau, cwlwm y
gofal. Bu'r profiad yn fodd i'm poeni'n emosiynol a
theimlwn nad profiad mohono i'w ddisgrifio, ond
profiad y dylid ceisio ail-greu ei effaith mewn cerdd,
mewn delwedd a sŵn, mewn ffigwr a phatrymu
rhithmig. Ond er mynych eistedd a dyfal edrych ar
bapur gwag ni welais hyd yma y geiriau'n ym-
ffurfio'n gerdd. Ac eto, gwn fod yno gân pe gallwn ei
hudo'n gnawd.

Nid wyf yn un am rodio llwybrau'r beddau ; yn
anfynych yr af i fynwent. Ond pan ddaw Sul y
Blodau fe ddaw hefyd ddefod y paratoi—bwced a
brws sebon, fforc i'r pridd a gwellau ar gyfer y gwair.
Mae bedd fy hynafiaid ym mynwent Yr Allt-wen, ac
yno ar y garreg ddu ar lethr tawel y tir marw y
mae'r llythrennau aur yn casglu blwyddyn o fwsogl
gwyrdd. Yn flynyddol af i sgrwbio enw fy mam-gu
yn lân, ac adnewyddu'r adnod fer. Mae motif ar y
garreg lefn—dwy law ynghlwm, dwy law ddisymud
ar wastadrwydd yr angau. A gwn eto fod yno gân.

Bydd un o'r plant ambell waith yn galw amdanaf
yn y nos o dywyllwch hagr ei hunllef, o bellter
dagreuol y deffro annymunol. Pan ddigwydd hynny
af ato i orwedd yn gynnes a mawr, yn gysgod o
ddiogelwch. A bydd y llaw fach, y llaw feddal
ddiniwed, yn chwilota'i ffordd i glydwch fy llaw
innau. Fe ddychwel yr un bychan i ddyfnder ei
gwsg, yn ddi-ofn a diddig yn llaw ei dad.

Beth yw cyfrinach y dwylo clwm ? Y dwylo sy'n
dileu hunllefau'r plant, y dwylo sy'n hardd ar

garreg fedd, y dwylo diogel ar ffordd y Gelli Aur ?
Y dwylo sy'n annibennu'r Awen ?   Paham na
ddaeth, hyd yma, y gân sydd yn ddwfn anghyr-
aeddadwy ?

> ' Mae'r profiad ambell waith yn fwy
>   na lled y tafod sy'n llefaru'r gair . . .'

Dyna anhawster y bardd.   Mae ambell brofiad yn
rhy isel ei gynyrfiadau, yn rhy annelwig ei wreiddyn,
iddo fod, o'i drin, yn brofiad real o batrwm geiriol i
ddarllenydd. Gobaith pob bardd, am wn i, yw creu,
ag offer ei grefft, ddarn o ddweud y bydd effeithiau
y profiad o'i ddarllen neu'i glywed yn ymdebygu i
effeithiau y profiad gwaelodol a fu'n gymhelliad i'r
bardd yn y lle cyntaf i ysgrifennu'r gerdd. Onid yn y
broses honno o droi profiad yn air y mae geni'r
tywyllwch ystyr hwnnw a all fod yn rhan mor amlwg
yng ngwaith y gŵr y mae tynerwch bregus ei
sensitifrwydd yn rhoi iddo brofiadau emosiynol y
mae'n anodd mynegi'n effeithiol wewyr yr ym-
deimlad ohonynt ?   Dywedodd rhywun rywdro,
wrth sôn am gerddi cynnar Ezra Pound, fod gormod
o bellter rhwng ei brofiadau a'i eiriau. Lled y bwlch
hwnnw yw mesur llwyddiant neu fethiant cerdd. Yr
hyn a wna bardd yw taflu cadwyn o sŵn ystyrlon o
binacl ei brofiad ef ei hun at law darllenydd a dweud
' Dring i fyny yma '. Ond ambell waith fe lithra'r
gadwyn eiriau o'i law wrth ei thaflu, dro arall mae'r
gadwyn yn rhy fyr i gyrraedd llaw y sawl sy'n
ymestyn ati, ac ni chaiff y darllenydd ddod i'r un
astell uchel â'r bardd ei hun i weld yr hyn a welwyd
a theimlo'r hyn a deimlwyd.

Gweld dwy law a wneuthum, y naill yng ngafael

y llall. Ond 'dyw dweud hynny mewn rhyddiaith,
mewn eglurder geiriadurol, ddim yn ddigon.
Gallwn, â chamera, dynnu llun dwy law ifanc
ynghlwm. Ni allai hynny chwaith fynegi'n foddhaol
y profiad a gefais y bore hwnnw ar dyle'r Gelli Aur.
'Rwy'n sefyll ar y tir, y brigyn yn fy llaw, ac yn
nerfau'r pren mae cryndod y dyfroedd cudd. Ond
ni allaf godi disgleirdeb y dŵr i gwpan y gerdd a
allai fod yn ddiferion o flas ar dafod un arall. Mi
allwn, mae'n debyg, lunio cadwyn o rigymu
hawdd—

> Un bore yn y Gelli Aur,
> Gwelais y bechgyn yn y gwair—
>
> Yn loetran yn yr awel iach
> Fel Gwilym gynt a Benni Bach.
>
> Ar dyle'r ysgol yn yr haul
> A'r bore'n deffro yn y dail . . .

Ond nid profiad telynegol felly mohono. Er mai
plant oeddynt, bodau bychain yng ngwawr eu byw,
'roedd yno yn eu dwylo gynhesrwydd y berthynas
sy'n llenwi gwacter pob unigrwydd a chyfannu
tristwch pob bwlch. Ac eto, ar gwlwm annwyl y
dwylo gwelwn gysgod llaw Cain. Y cysgod difaol
hwnnw sy'n cymhlethu'r llun a dyfnhau'r profiad.
Fe dry symlrwydd serch y plentyn, pan ddaw i
oedran gŵr, yn ddryswch y gwrthdaro oesol, ac yng
nghywilydd yr anghytgord bydd eco'r hen gwestiwn
' Mae Abel dy frawd ? '

Ni welais mohonynt yr eilwaith, ond fe ddônt yn
ôl ataf yn aml. Fe ddônt yn ôl yn hagrwch golyg-

feydd y rhwygo cnawd yn strydoedd agos yr Ynys Werdd ; fe ddônt yn ôl yn lluniau hunllefus yr ysgerbydau a'r dwylo, tenau gan ymbil, yn ninasoedd cynfas y gwledydd pell. Fe ddônt yn ôl, o hyd ac o hyd—y ddau grwt, a'r naill yn llaw y llall.

DIANC

' Carafán mewn cwr o fynydd,
    Newid aelwyd bob yn eilddydd ' . . .

Os cofiaf yn iawn, ym Machynlleth y'i gwelais
gyntaf—y carafán amryliw, hamddenol ei fynd a'i
ddod. Nid un o'r blychau alwminiwm hynny sy'n
gynffon i gar, ond carafán go iawn, yn esmwyth
ymdreiglo i gyfeiliant pedolau ar darmacadam. Nid
sipsiwn a'i gyrrai, na thinceriaid Gwyddelig, ond pâr
bonheddig ar wyliau haf, wedi'u bachu gan un o'r
gimigau cyfoes : ' Treuliwch wythnos araf yn
nhawelwch y dolydd, clip-clop rhwng y cloddiau ;
"Gee geffyl bach yn cario chi'ch dau" . . . Swper
dan y sêr, a'r llestri'n sychu dan y lloer . . .' A bod
yn onest, 'rwyf innau hefyd yn barod i'm bachu gan
ddymunoldeb y ddihangfa honno. Bûm yn darllen
Matthew Arnold yn ddiweddar :

'. . . The story of that Oxford scholar poor,
    Of shining parts and quick inventive brain,
    Who, tired of knocking at preferment's door,
        One summer morn forsook
    His friends, and went to learn the gipsy lore . . .'

Fe ddaw imi yn aml yr ysfa am ddianc, am dorri'n
rhydd o afael y rhaffau sy'n caethiwo a'r cadwynau
sy'n clymu'r traed. Pan fydd y meddwl yn gyffro
eirias, a'r gerdd ar ei hanner brwd, fe ddaw'r alwad
at ddyletswyddau fy nghyffredinedd beunyddiol—
torri glo, prynu torth, golchi llestri, magu'r babi,
newid ffiws . . . A chollir y gerdd. O am gymorth
Cyngor y Celfyddydau i brynu carafán a chaseg a

chael deufis neu dri dan gronglwyd yr awelon. Ond
er hiraethu am lwybrau agored y bryniau a'r dail
uwchben y dŵr, ni allaf fy ngweld fy hun yn rhyw
esgus o sipsi. Y gaseg fyddai'r broblem. Y mae
cymhlethdodau peiriant car yn haws eu hamgyffred
i mi na thaclau astrus gwisg y gaseg. Fe'm magwyd
mewn cwm o weithfeydd myglyd a chyfyngwyd fy
mhrofiad o anifeiliaid fferm i'r brawd bras hwnnw
mewn twlc ar waelod yr ardd adeg y rhyfel. Byddai'n
rhaid i gaseg fy ngharafán orffwys a chysgu rhwng y
siafftau am dymor cyfan fy nianc. Ni allwn innau
mo'i dadwisgo a rhoi ei phyjamas amdani bob nos.
Ond ar wahân i hynny byddwn wrth fy modd : y tân
llafar o goed a'r crochan ynghrog uwch dawns
felyngoch y fflamau heini, y gwyll yn dwysáu y dydd,
a'r lleuad dawel yn wyn ym mrodwaith y canghen-
nau du. Fe ddylai'r caneuon ddiferu o erwau maith
y sêr. A diferu'n gyfan.

Paradwys ambell un yw cwch ar gamlas ; y byw
llyfn hwnnw ar feddalwch di-symud y dŵr llonydd.
Y mae i'r dianc hwnnw hefyd ei apêl. Morwr o
Waterford oedd fy nhad-cu o ochr fy nhad, a diau
fod yn fy ngwythiennau ryw ddiferion dŵr sy'n peri
bod môr ac afon a chamlas yn gynefinoedd o ryw
fath. Pan feddyliaf am y gwŷr sych hynny sy'n ei
Madoga hi ar ambell ' antur enbyd ' yn nyfroedd
di-storom camlesi Brycheiniog a gogledd Mynwy,
daw'r Harri Morgan barfog sydd ynof i sibrwd yn fy
nghlust am ramant y llwybrau dŵr. Ond daw
doethineb yn rhith atgof—yr atgof am dripiau Ysgol
Sul i'r Barri, a'r cychod bach sidêt yn nhymestl y
Knap ' yn methu cyrraedd glan ', yr atgof am
ddarllen helyntion y tri chyfaill, heb anghofio
Montmorency'r ci, yn y cwch a witsiwyd o'r

cychwyn. Ac ni allaf nofio chwaith. Carwn ddianc
er hynny.

Byddaf yn edrych yn hir ambell waith ar y crwt
y mae'r llun ohono yn hongian uwchben y lle-tân.
Murillo piau'r llun—y crwt llwm yn pwyso ar sil
ffenest ac yn edrych allan ar olygfa sy'n anweledig
ond i'r bachgen ei hun. Mae cysgod gwên ar ei
wyneb gwelw, gwên sy'n awgrymu bod yr hyn a wêl
yn bleserus ddifyr, yn ddeniadol hardd neu'n
ddoniol. Pan fydd dydd ein prysurdeb yma wedi
tawelu i ddistawrwydd y nos, y plant yn eu gwelyau
gaeaf a'r frenhines wedi cyhoeddi'r fendith ar
ddiwrnod arall o deledu, edrychaf ar wên y crwt
bach a cheisio dychmygu llwyfan yr hyfrydwch sy'n
goglais ei ddedwyddwch. Beth sydd yno yn foddion
i'w dlodi caeth ? Stryd o fusnes boreol a lliwiau'r
dydd ifanc yn dapestri symudliw yn haul Sbaen ;
marchnad o glebran Lladinaidd a chyfarth cŵn yn
cylchu'r stondinau ; carnifal o sidanau gŵyl ar
gerbydau'r blodau ; neu ddistawrwydd gwag canol
dydd y gwres ? Beth yw'r llun sy'n y llygaid ? Ai
plant sydd yno yn chwarae gêm eu chwerthin, yn
chwythu'r llwch drwy'r pelydrau gwyn, a chwrso'r
cysgod rhwng y muriau gwyngalch ? Ai gweld a
wna ddychwel ei dad o lafur y dydd ? Mor aml y
bûm yn eiddigeddus ohono yn ei ffenest bell yn
gweld yr hyn na welwn i. Pe gallwn fel Pwyll
gyfnewid lle ! Pe gallwn ymysgwyd o rigol digynnwrf
y cynefin hwn a glanio'n newydd ar draethau Sbaen,
yno i gloddio o ddyfnder y tywod cynnes y gerdd
sydd yma'n dianc rhag fy llaw ! Felly y meddyliais
droeon wrth edrych ar grwt Murillo hyd nes imi
sylweddoli mai edrych arnaf innau y mae, ac ar
gegin fy nheulu. Yr hyn a wêl yw ystafell ein

cyfathrach ni, ac mae gwreiddyn ei wên yng nghymundeb y plant ar garped yr aelwyd.

Yr ysfa am ddianc—nid yw ond ffansi awr o flinder. Onid ffansi felly yw hiraeth y meidrolyn sy'n ei morio hi ar hwyliau Sul organau mawl ?

> ' Mae hiraeth arnaf am y wlad
> Lle mae torfeydd di-ri
> Yn canu'r anthem . . .'

Ac onid yw'r ffansi honno'n ffansïach am fod y dianc yn ddianc am byth ? Nid oes o'r mynd hwnnw ddychwelyd. Ac am wn i, y dychwelyd sy'n melysu pob mynd. Daeth Pwyll yn ôl, daw'r cwch yn ôl i'r bannau, a'r carafán yntau o'r antur rhwng y cloddiau. Hen brofiad od yw mynd i gwrdd â rhywun sy'n dychwelyd o wyliau pell, yn enwedig ar faes glanio. Bûm unwaith neu ddwy ar faes y Rhws yn disgwyl cyfeillion o gymylau'r nos. Pythefnos o hamdden drud, yn prynu'r haul ac anrhegion i bawb, a dychwelyd yn gŵyn i gyd a'r cyfarch arferol, ' O, mae'n neis cael dod 'nôl ! ' O bob dianc, hyfryd yw dychwelyd. 'Nôl at—y torri glo, prynu torth, golchi llestri, magu'r babi, newid ffiws . . . 'Nôl i'r man lle mae'r gerdd mewn gwirionedd yn fyw ac yn real. 'Nôl at normalrwydd y rhigolau braf, at ddiogelwch y cynefin.

Dianc ? Carafán, cwch, awyren ? Mae'r crwt bach llwm yn ffrâm y ffenest yn dweud wrth ŵr anniddig y gadair esmwyth, ' Dianc ? I beth y dihengi di o'r sicrwydd hwn ? '

' I ble yr ei di, fab y ffoedigaeth . . . ? '

Darllen traethawd yr oeddwn, traethawd ar
Gwenallt gan fachgen o'r Allt-wen. Bu rhyfyg y
frawddeg agoriadol yn ergyd nad ydwyf hyd yn
hyn wedi cael adferiad o'i heffeithiau—'Ganed
Gwenallt yn Llansawel, Sir Gaerfyrddin'. Pe bai
awdur y geiriau erchyll yn grwt o Sir Gâr mae'n
debyg y gallwn faddau'r cabledd iddo. Ond damo !
Bachgen o'r Allt-wen ! Ac mi welais fyfyrwyr cyn
hyn yn paratoi rhyw ddarn anferth o gyfarpar gweld
i'w osod ar fur ysgol—'Enwogion Sir Gâr'—ac
arno, rywle rhwng Rhydcymerau a Llansadwrn,
mewn llythrennau bras, yr enw GWENALLT.
Bydd y gwaed yn berwi a'r llais yn gweiddi, 'Howld
on ! Howld on ! ' Fe ganodd Ann Griffiths lawer
am y nefoedd, ond nid yno y'i ganed ; nid yno y'i
magwyd chwaith. Hiraethai Pantycelyn am hyfryd-
wch y Ganaan fry, ond nid yw'r hiraeth dwfn
hwnnw yn dileu pwysigrwydd man ei fagwrfa. Fe
welodd llawer o feirdd swyn a thegwch mewn
mannau neilltuol ond nid yw hynny'n newid dim ar
fanylion tystysgrif eu geni, a dylanwad yr argraff-
iadau bore arnynt. Yr oedd gan Gwenallt, yn sicr,
ymdeimlad gwirioneddol o gefndir gwledig ei
dylwyth, hoffai'r wlad werdd y tu draw i'r Mynydd
Du, âi yno ar wyliau a dianc i'w llonyddwch hen-
ffasiwn, ond fe'i ganed ym Mhontardawe a'i fagu
yno ac yn yr Allt-wen. Buasai'n fardd, mae'n
debyg, hyd yn oed pe ganesid ef ym mwynder y
wlad a hoffai, ond nid yr un fyddai acenion ei
ganu. Nid Gwenallt fyddai Gwenallt heb staen
fitrel yr afon ar ei gorff. Pan â plentyn pumlwydd
oed i gysgu yn sŵn gwaith tun Glantawe a sŵn tapo

ffwrneisi'r gwaith stîl bydd y metel yn ei lafar am byth. Nid yr un yw tafod y caeau a thafod cras y pentrefi mwg. Ac yn y gwaelod, bardd y metel a'r mwg yw Gwenallt ac nid bardd y blodau yn y llwyn. A bellach mae'r bardd yn y wal—ei enw'n gerfiedig ar gofeb yn ymyl sgwâr Pontardawe.

Ni allaf honni fy mod yn edmygydd mawr o wŷr ysgafn y Cyngor Lleol, er bod ambell un, sy'n eithriad amheuthun, yn ddiwylliedig a gwreiddiol. Ond fe'u canmolaf am fynd ati i sicrhau bod enw David James Jones yn cael ei blannu'n gadarn yn y gymdogaeth hon. Ganed y bardd mewn rhes o dai sy'n sefyll ar lefel ychydig yn uwch na sgwâr y pentref, ac yno y bu'n byw am bum mlynedd cyntaf ei oes cyn i'r teulu groesi'r afon ac ymgartrefu yng nghysgod craig Yr Allt-wen. Nid yw'r tai heddiw fel yr oeddynt ym mlwyddyn olaf y ganrif ddiwethaf, blwyddyn geni'r bardd bach ; gwnaed dau fwthyn yn un, ac adnewyddwyd eu blaenau. Nid yw'n bosibl felly i neb ddweud yn bendant—' Dyna'r tŷ lle ganed Gwenallt ' gan fod y tŷ hwnnw erbyn hyn yn hanner tŷ arall. Ond o leiaf nid oes angen ymestyn braich i gyfeiriad Sir Gâr a'r bys i gyfeiriad Llansawel. Gellir dangos ' Wesley Terrace, Pont-ardawe ' i rywun sydd am wybod, a dweud—' Yn y fan'na '. Ac erbyn hyn nid oes angen dweud hynny ; mae'r mur yn llefaru'r ffaith mewn dwy garreg a osodwyd yn ei dalcen.

Dadorchuddiwyd y cofebau ar brynhawn glân o Fehefin, pan oedd cyffordd y cwm yn drwm gan draffig. Arhosai'r moduron yn ddiamynedd wrth y golau coch a rhoi cyfle i'r rhai o'u mewn wylied y cynghorwyr cadwynog yn ymarfer huodledd eu llediaith ar y palmant. Cwlwm o wŷr a gwragedd

hen a chanol-oed, yn eu dillad parch a'u hetiau
sabothol, plismon pwysig, ci anystywallt, ac ambell
blentyn yng nghôl ei fam rhwng dwy siop. Collwyd,
yn rhygnu dwfn y lorïau a phesychiadau'r ceir
busnesol, eiriau'r sawl a ganmolai'r bardd, ond fe
dynnwyd y llenni—llenni pitw melfed fel llenni
model bychan o theatr—a gwelsom y bardd yn y
wal. Fe fu 'no siarad brwd wedyn wrth fyrddau'r
llestri te a'r teisennod—balchder y fro, cyfraniad y
bardd a'r ysgolhaig, llenyddiaeth Gymraeg, pwysig-
rwydd teyrngedau gweladwy, cofeb arall—i Grwys—
yng Nghraigcefnparc. A phawb yn ddiwylliedig
daer. Breuddwydiwn yn fy nghwpan o de oer—
sosialydd o gynghorwr yn diosg ei gadwyn urddasol
gyda'r hwyr, yn galw'i deulu ato, yn estyn am gyfrol
euraid ei chloriau lleder, a'i hagor. Ac yna'n
darllen :

' Paham y rhoddaist inni'r tristwch hwn,
    A'r boen fel pwysau plwm ar gnawd a gwaed ?
Dy iaith ar ein hysgwyddau megis pwn,
    A'th draddodiadau'n hual am ein traed . . .'

A'r teulu'n mynd, bob un i'w wely, ac yn y dwylo
defosiynol—*Ysgubau'r Awen, Eples, Gwreiddiau, Y Coed*
. . . Ac yno yn eu cwsg yn nofio tonnau'r gweledig-
aethau a boddi yng ngeiriau'r bardd . . . Yfais y te
oer, daeth cwrdd y canmol i ben, aeth pawb i'w
ffordd, a gadael Gwenallt gyda'r llestri briwsionllyd.

Mi fyddai'n well gen' i beidio â gwybod sawl un
ym Mhontardawe sy'n darllen Gwenallt. Nid llawer
sy'n darllen y wal. Ond nid yw hynny'n lleihau
cymwynas y sawl a fu'n sbardun ym mhen ôl y
Cyngor ac yn eu cymell i anrhydeddu athrylith.

Pan oeddwn yn brentis o bregethwr 'slawer dydd byddai diwedydd y Sadyrnau'n ddiflas gan deithio i gyhoeddiadau pell. 'Roedd y daith aeafol i'r Rhondda yn fusnes yr arswydwn o'i phlegid. Dyddiau'r bws oedd y dyddiau hynny i mi—y bws oer yng ngwynder eira. Nid llwch mân y prydferthwch telynegol mo'r gwynder hwnnw, ond magl ysgeler y gelyn iasoer a lechai'n fygythiol ar y ffordd o'r Rhigos heibio i Graig y Llyn ac i dopiau tywyll a llithrig Blaenrhondda. Gwynder y sglefrio hunllefus i Dreherbert a llawr diogelach y cwm. Teithiau oedd y rheiny i flino ysbryd y rhai mwyaf anturus eu hanian. Ond cofiaf un ymweliad haf, a minnau'n cael gweld Treorci yng ngolau hwyr y Sadwrn am y tro cyntaf. Â'r bregeth yn y bag, chwiliwn am y llety, gan sylwi ar bob tŷ tywyll— ei drothwy'n denau gan ôl brws y penlinio cyson a phres ei ddrws yn llachar ddifrycheulyd gan eli penelin. Ac yna fe'i gwelais—y bardd yn y wal. Enw Ben Bowen ar garreg. Mae'r peth yn swnio braidd yn blentynnaidd o'i ddweud 'nawr, ond cefais yn y gweld annisgwyl hwnnw wefr bychan o bleser. Ac ni bu Treorci fyth yr un fath wedyn.

Fe ŵyr y neb a fu'n crwydro hwnt ac yma yn yr Almaen fod Beethoven wedi byw ymhob twll a chornel o'r wlad honno ; mae'r cofebau dirifedi yn gwmwl tystion i anniddigrwydd aflonydd y cerddor a oedd yn fwy symudol na gweinidog Wesle. Ond clefyd yw'r placiau hynny sydd ynghlwm nid yn gymaint wrth falchder ei bobl ohono ag wrth yr ysfa am dynnu'r ceiniogau o bocedi ymwelwyr naïf. Fodd bynnag, ni all neb ddod o'r Almaen heb wybod mai Almaenwr oedd Ludwig. Arwyddion o'r un clefyd yw'r gwelyau aneirif y bu ambell frenin lled

fywiog yn gorwedd ynddynt. A pherthynas pell i'r
clefyd hwnnw yw'r dolur arall, mwy cyffredin, sy'n
dweud bod ' Kilroy wedi bod yma '. Ni welais hyd
yn hyn yr honiad fod ' Kilroy wedi'i eni yma ', ond
'synnwn i fawr na osodir y plac hwnnw ar y wal cyn
bo hir.

Mae'n sicr gen' i fod lleoliad daearyddol man
cychwyn bardd neu lenor, artist neu grefftwr, yn
bwysig arwyddocaol o safbwynt natur ei ddawn a
thueddiadau ei awen. Ac yr wyf yr un mor sicr fod
gwybod y lleoliad drwy weld hynny yn air mewn
maen yn brofiad o wefr bychan i ambell deithiwr yn
niflastod ei siwrne. Bu rhywun mor garedig â rhoi i
mi enw Ben Bowen ar dŷ yn Nhreorci. A bellach
bu'r Cyngor Lleol yn ddigon hirben i wneud yr un
gymwynas ag enw Gwenallt. Pwy a ŵyr na allai
rhywun—rhywun tebyg i'r crwt hwnnw a sgrifen-
nodd ei draethawd ar Gwenallt—gael sioc pleserus
ar sgwâr Pontardawe o weld meini'r cofebau a gweld
y bardd yn y wal.

DEUAWD

Bûm innau'n grwt o ganwr fel fy nhad er na chyrhaeddais yr un pinaclau seiniol ag ef. Fe enillodd yr unawd i fechgyn yn Eisteddfod Genedlaethol Castell-Nedd 'slawer dydd, a dywedir i'w dad—y llongwr o Iwerddon—redeg bob cam o dref yr Eisteddfod i bentref Gelli-nudd i gyhoeddi i'r cymdogion y newydd am fuddugoliaeth ei fab. Ni chefais innau lwyddiant felly. Rhyw ganwr festri oeddwn mewn gwirionedd, er imi fentro unwaith neu ddwy i uchelfannau oriel y capel mawr ac ehangder llwyfan eisteddfod yr ysgol. Cawn wersi gan gerddor proffesiynol, a gallwn ganu ' Clychau Aberdyfi ' gystal â'r crwt nesaf o soprano, ond nid oedd fy nghalon mewn cytgord â'm dawn. Erbyn hyn y gwrthwyneb sydd yn wir—nid yw fy nawn mewn cytgord â'm calon. Pan ddeuthum i gyflawnder aeddfedrwydd dyn llithrodd y llais swynol i lefel bysedd y traed ac yno y mae o hyd, yno y bydd am byth, yn ochenaid isel ac amhersain. Cyfyng bellach yw cylch fy lleisio—' I bob un sydd ffyddlon ' ar Barc yr Arfau, lle mae brwdfrydedd yn gorbwyso perseinedd caboledig ; ' Iesu tirion ' yng Nghwrdd y Plant ; ' My Lord what a mornin' ' yn y bath, a Paul Robeson unwaith eto yn ddyfnder solet rhwng y muriau gwyn. Mor eiddigeddus wyf o'r bechgyn talentog hynny sy'n medru taro'r nodyn mewn angladd a dringo'n ddiffwdan i fryniau Caersalem. Pe bawn innau wedi gwrando mwy ar gynghorion yr athro mae'n bosibl y buaswn wedi llwyddo fel cantor mynwentydd ac asgwrn cefn y Cymanfaoedd. Ond ni ddaw doe yn ôl, na'r llais ychwaith.

Dyna paham hwyrach y mae'n well gennyf erbyn

hyn wrando ar gerddoriaeth sy'n ddi-lais, yn fôr o sŵn mewn symffoni. Fe ddeil fy ngwraig o hyd mai pinacl ein mis mêl oedd cyngherddau Neuadd Albert ; bu clywed hynny am y tro cyntaf yn dipyn o ysgytwad i ŵr ifanc. Ond tueddaf bellach i gytuno. Rhowch imi gerddorfa lawn yn tasgu drwy agorawd Háry János, artaith y llinynnau yn ail symudiad Seithfed Symffoni Beethoven, rhai o alawon lleddf *Peer Gynt*, a thipyn o rwysg Wagner, a bodlon ydwyf. Nid oes yno leisiau i beri eiddigedd. Ond 'nawr ac yn y man daw eco'r llais yn ôl ; sleifiaf i'm hystafell, cloi'r drws ar y plant, chwarae record ' Pysgotwyr y Perl ', ac aros—aros am yr hyfrydwch lleisiol yn y ddeuawd berffaith, deuawd Zurga a Nadir. Nid cymeriadau mewn opera sydd yno yn gymaint â dau Ffrancwr, Léopold Simoneau a René Bianco, yn gwneud sŵn y mae ei effaith ar fy nghlust fel blas y mêl ar dafod plentyn. Un o bleserau mawr bywyd yw gwrando'r ddau lais hyn yn ymglymu'n nadredd llyfn o gytgord, a llifo'n olew balmaidd ar y clyw.

Clywais y gân cyn gwybod y stori. Pan ddarllenais yr hanes am y ddau gyfaill yr oedd achlysur a mater y ddeuawd yn hollol gydnaws â'm hargraff innau o'i harwyddocâd. Anaml y digwydd y perffeithrwydd mynegiant hwnnw, y sŵn sy'n dangos y llun. Fe ddigwyddodd imi unwaith o'r blaen—clywed darn gan Debussy ar nodau tenau piano, ac yn y sŵn gweld y golau gwelw a diferion gwyn y sêr, a dysgu wedyn mai ' *Clair de Lune* ' oedd enw'r darn. Ac felly deuawd Zurga a Nadir—y cyflwyniad perffaith o deimladau dyfnion, adlais di-nam yr emosiynau. Ni wn paham y dylai'r ymdeimlad o gyfeillgarwch gwirioneddol, y berthynas anhunanol honno sy'n gwneud cyfathrebu'n foddhad enaid, y bodlonrwydd goludog sydd yng nghytgord dwy bersonoliaeth, fod yn debyg i'r profiad o ymgolli'n llwyr yn harddwch rhithmau lluniaidd y ddeuawd hon. Ond felly y mae i mi. Mae'r emosiwn oesol yno yng ngwaelod y profiad, fel yn y profiad o weld y dwylo ynghlwm yn y Gelli Aur, profiad y catharsis bendigedig.

Mae'n gynnar imi feddwl am farw, medden' nhw. Ond pe rhoddid i mi, fel y rhoddir i ambell un dan ddedfryd curiad olaf y galon, ryw ddymuniadau syml megis un sigarét arall, neu olwg o ben mynydd ar dir plentyndod, mi fyddai'n rhaid imi gael clywed lleisiau Simoneau a Bianco'n cnawdoli unwaith eto serch Zurga a Nadir yn y gân sy'n glanhau a phuro. Mi fyddai'n dda gen' i fynd i ben mynydd Gellionnen i'r man uchel hwnnw sy'n cynnig i ddyn gynfas eang o gymhlethdodau byw yng ngwe'r pentref sy'n rhwydo'r atgofion am brofiadau plentyn a rhigolau caeth ei ddyfiant yn y cwm. Mi fyddai'n dda gen' i eistedd am awr ar greigiau celyd Gŵyr yn gwylied, yng nghawodydd mân yr heli, gampau'r bili-dowcar yn y dŵr dwfn. Mi fyddai'n dda gen' i weld yr eirlysiau'n wynnach na gwynder oer eu gwely eira, a melyn y friallen ar glawdd llwm. Mi fyddai'n dda gen' i . . . Mae'r rhestr yn ddiddiwedd, yn gatalog o weld cysegredig, yn gasgliad o wefrau'r blynyddoedd diflanedig. Ond rhaid fyddai gwrando'r ddeuawd, a dod yn y sŵn at afael tragwyddoldeb, a'r galon nad oes ynddi guriadau darfodedig y bodoli hwn rhwng croth a phridd.

> ' Paham na chaf i ddechrau 'nawr
> Fy nefoedd yn y byd . . . ? '

meddai'r emynydd. ' Eiliadau tragwyddol ', meddai'r ysgrifwr telynegol. A dyna'n union brofiad y gân.

Rhoi'r record yn ôl, datgloi y drws, a mynd 'nôl at y plant ; dod i lawr o'r mynydd i wastadrwydd y cwm. Dychwelyd o'r ffin rhwng daear a nef at realiti'r ffolineb sy'n peri bod crwt bach o ganwr yn troi clust fyddar at ei athro, yn breuddwydio am bêl leder a chae yn hytrach na rhoi ei galon yn nodau swynol ' Y Fwyalchen '. Ond ni ddaw doe yn ôl, na'r llais ychwaith.

Mae'r mab hynaf yn meddwi ar win y ' Tebot Piws ', mae'r ail yn meistroli rhithmau astrus ' Hen Fenyw Fach Cydweli ', a'r lleiaf yn llafarganu'r ' Dad, dad, dad . . .' undonog. O'r tri llais, a ddaw dau i gynnig imi wefr y ddeuawd ? A oes yn y meibion hyn ddiferyn o ddawn y llais hudol sy'n caniatáu inni ddechrau 'nawr ein nefoedd yn y byd ? Pe gwyddwn hynny mi redwn o Gastell Nedd i Gelli-nudd—a 'nôl i Gastell Nedd—yng ngwallgofrwydd fy malchder.

Deuthum at drothwy tragwyddoldeb fwy nag unwaith wrth ymhèl â thaclau trydan. Nid anghofiaf y tro hwnnw pan oedd angen ymestyn gwifren y set-deledu er mwyn symud yr allor honno i fan yn yr ystafell lle gallai'r teulu cyfan addoli gyda'i gilydd. Nid oedd yno ond dwy weiren fach ddiniwed yr olwg yn hongian yn ddigon llipa, ond bu bron i'r nadredd gwenwynig hynny, pan gydiais yn eu cynffonau, sarnu fy rhagolygon am weld rhagor o deledu yn y byd hwn. Penderfynais bryd hynny y dangoswn fwy o barch at wifrau noeth o hynny allan. A'r tro arall hwnnw, yn yr ystafell-wely. Mae gennym yno dân-trydan yn y wal sy'n gwneud pob noson aeafol ei naws yn haf bach o gynhesrwydd. 'Roedd eisiau newid yr elfen. Prynwyd elfen newydd ac aed ati i'w gosod yn or-ofalus yn ei lle. Rhoddais un pen ohoni yn y man priodol, ac yna'r pen arall. Yr eiliad nesaf fe'm cefais fy hun ar wastad fy nghefn ym mhen pella'r ystafell. Buasai'r wraig yn gor-ymdeithio drwy'r tŷ â'i dwster yn ei llaw, ac wrth lanhau'r ffrâm metel o gwmpas y tân wedi gwasgu— yn ddiarwybod iddi, meddai hi, ond 'doeddwn i ddim mor siŵr—y swits, a gwneud y tân yn berygl bywyd i'r neb a osodai ei fysedd yn y mannau priodol. Ac wrth gwrs, i minnau y syrthiodd y fraint bleserus honno. Nid oes unrhyw deimlad o serch bellach rhyngof i a'r trydan ; gwrthodaf yn bendant ysgwyd llaw â'r brawd. Naturiol, felly, pan chwyth-odd y ffwrn-drydan ei phlwc beth amser yn ôl, oedd galw gwŷr y Bwrdd Trydan a gofyn am gymorth diogel technegwr.

Fe ddaeth hwnnw mewn deuddydd neu dri—yn ôl

arfer hamddenol y byd sydd ohoni—yn drwm gan
offer a gwybodaeth yr arbenigwr. Pan welais ei
wyneb gwyddwn, am ryw reswm neu'i gilydd, fy
mod yn ei adnabod, er na allwn ddweud imi ei weld
ers ugain mlynedd neu ragor. Rhywun ydoedd o
bellafoedd niwloedd cof—crwt bach mewn trywsus
byr a chrys agored a arferai fod yn yr un dosbarth â
mi yn yr Ysgol Gynradd, yn dweud yr un tablau
rhifyddeg, yn dysgu llefaru'r un geiriau dieithr.
Ond yr oedd i hwn ryw arbenigrwydd, ac wrth ei
weld yn diosg y bag-offer o'i ysgwydd fe ddaeth yn
ôl yn eglur i mi natur yr arbenigrwydd hwnnw.
Dyma'r bachgen a dd'wedodd wrthyf y Sul hwnnw
yn 1939 fod y rhyfel wedi dechrau. 'Roedd ganddo
fag bryd hynny hefyd : ef oedd dosbarthwr cynorth-
wyol papurau'r Sul. Ond y bore hwnnw ef oedd
cyhoeddwr y rhyfel i blant.

Medi 1939. Yr oeddwn yn wythmlwydd oed a
chefais wely clyd yn y cwts-dan-stâr. I minnau a'm
cyfoedion nid oedd y peth hwnnw a elwid ' y rhyfel '
yn ddim byd mwy na chynefin newydd ein chwarae,
a'r ffenomen afreal a roddai ogwydd arbennig i'r
chwarae hwnnw. Fe drodd dysgu enwau'r adar yn
ddysgu enwau'r awyrennau, a daearyddiaeth yn
theatr rhyfel. Aeth y Suliau tawel yn Suliau o swn—
swn Capt. Mainwaring a'i gatrawd o wŷr musgrell,
pob un a'i goes-brws ar ei ysgwydd ac LDV ar ei
fraich, yn ymarfer eu hymosodiadau yn rhedyn y
Barli, ac yn ymarfer eu sgidiau militaraidd rownd y
tai. Cawsom gyfeillion newydd, estroniaid bach o
Walthamstow a Chatham. Aethom yn deuluoedd i'r
festri, fel rhai'n mynd i'r farchnad i brynu bydji neu
grwban, a chael ' evacuee '. ' Plîs, mam, a allwn ni
gael dou ? ' 'Roedd yr ' evacuee ' yn y tŷ drws nesaf

yn gwlychu'r gwely bob nos, ond 'doedd neb yn gas
wrtho.   Ac aeth y nosweithiau'n dywyllach.   Yr
oedd *Flash Gordon* yn y Pafiliwn o wythnos i wythnos,
ar derfyn pob pennod â'i ben yng ngheg yr anghenfil
hyllaf a ddychmygwyd erioed. Ac o arswyd iasoer y
gweflau danheddog hynny deuem allan i'r nos, ac
nid oedd yno un golau i'n cysuro yn afagddu'r
' blacowt '.   Aem i'r Ysgol Sul, ac ar ffenestri plaen
y festri biwritanaidd yr oedd patrymau prydferth y
papur gludiog yn cynnal y gwydr rhag sioc y bomiau.
Fe ddysgwyd emyn newydd mewn iaith od er mwyn
gwneud plant Llundain yn hapus :

> ' Take my life and let it be
> Consecrated, Lord, to Thee . . .'

Ar ôl te edrychem ar fap Ewrop ar y wal a gwylied
nhad-cu yn symud y baneri bychain—Jac yr Undeb
a'r Groes Grwca—ac yn y symudiadau, y ffortiynau
rhyfel. Mynd i'r ysgol a'r bocs sgwâr yn hongian am
y gwddf, y bocs a agorid wrth ymarfer y dril—
dysgu anadlu yn y mwgwd rwber drwy'r trwyn hir
tyllog fel trwyn y mochyn du, a'r anadliadau'n
ageru ar y ffenest selwloid. Brawd mygu oedd tagu.
   Fe ddaeth y pedwardegau ; daeth y rhyfel yn nes
ac yn fwy real. Cefais gwmni yn y cwts-dan-stâr.
Goleuid y nos gan fflamau Abertawe a phelydrau
hir y goleuadau llachar fel bysedd gwyn yn chwilio
nenfwd y cwm am adar metel y gelyn. Ac yn y bore,
wrth fynd i'r ysgol, casglem y ' shrapnel ' garw,
olion oer y nos boeth. Dwyn afalau o ardd Annie
May a synnu bod y tŷ mor dawel a neb yn ein
cwrso, a chlywed wedyn fod ei brawd wedi'i ladd
mewn awyren. Mynd â'r afalau 'nôl a'u rhoi fel

blodau dan y goeden. Aeth merched i weithio ar y bysus a chario mla'n â'r gyrwyr medden' nhw. Daeth Americaniaid i Fynydd-y-gwair a chaem ganddynt becynnau bychain o goffi a balwnau od na ellid mo'u chwythu'n fawr, a 'mam yn llewygu wrth eu gweld. Aeth y rhyfel yn ei flaen a'n chwarae ninnau yn greulonach a mwy dieflig. Dychwelodd fy nghefnder o Burma, o fforestydd yn fyw gan Siapaneaid anweledig, yn dawel a di-ddweud. Ac aeth y rhyfel yn ei flaen. Blinais arno, a mynd i gysgu yn y cwts-dan-stâr.

Medi 1939—nid wyf yn siŵr p'un ai dod o'r Ysgol Sul yr oeddwn ynteu o'r cwrdd bore. Ond gallaf weld y bachgen papurau yn ddigon clir, a chlywed ei lais yn dweud wrthyf fod y rhyfel wedi dechrau. A dweud hefyd fod y ffwrn-drydan yn gweithio eto. Rhoddodd ei offer 'nôl yn y bag, rhoi'r bag ar ei ysgwydd, a mynd.

Mae'r ffwrn, chwarae teg iddi, yn dal i weithio. Ond fe all rhywbeth ddigwydd eto. Fe ddaw rhyw wifren yn rhydd, fe â rhyw swits yn styfnig a bydd yn rhaid ffonio'r Bwrdd Trydan eto. Efallai y daw'r un technegwr 'nôl. Os daw, fe ddaw gydag e'r atgof am y Sul hwnnw ym Medi 1939 pan ddaethom i gyd at drothwy tragwyddoldeb.

Nid wyf eto wedi cwrdd â'r cawr a allai fynd i'r afael â Tolstoy yn y gwely, neu hyd yn oed ag 'Emanuel' Gwilym Hiraethog. Nid pwysau a thrwch sy'n gweddu i rywun sy'n simsanu ar erchwyn ansicr cwsg. Ond adwaenwn ddyn o Graigcefnparc a arferai fynd i'r gwely bob nos a threulio orig olaf ei ddydd effro yng nghwmni Cyfeiriadur Teliffon. Câi flas anghyffredin ar ddarllen cynnwys cymen a threfnus y gyfrol honno, a hynny cyn bod tudalennau melyn ac atodiadau pinc. Nid dyna'r gyfrol gyntaf a baratowyd ar gyfer un pwrpas ac a dreuliodd ran helaethaf ei hoes yn cyflawni pwrpas arall. Bu'r hen Feibl Teuluaidd anferth yn y parlwr yn sylfaen solet am flynyddoedd i'r pot blodau anwastad ei waelod, yn gadarn ddisyflyd ond yn ddi-agored. A'r *Caniedyddion* hynny ym Mhontrhydyfen sy'n rhyw fath o Gyfeiriaduron Teliffon mewn Sol-ffa i gymdogesau cyfeillgar. Fe'u clywais fwy nag unwaith—y cymdogesau hynny—yn cyfeirio at chwaer absennol a nodi rhif ei ffôn fel 'O nefol addfwyn oen', hynny yw Rhif . . . yn y llyfr emynau. Mae'n haws i'r gwragedd capelog hynny gofio rhifau ystyrlon yr emynau cyfarwydd na rhifau diystyr y teliffonau—

Lisi May—'O fryniau Caersalem . . .'
Hannah Jane—'Draw, draw yn Tseina . . .'
Lisabeth Ann—''R hwn sy'n gyrru'r mellt i hedeg . . .'

Merched yw merched Pontrhydyfen sy'n cael mwy o flas ar y *Caniedydd* nag ar y *Cyfeiriadur*. Ond nid felly'r cyfaill o Graigcefnparc—iddo ef y mae mwy o ramant yn ffeithiau mân llyfr y ffôn nag yn ing enaid Pantycelyn a swyn telynegol Elfed. Ond beth yw pwrpas yr ymgolli hwn yn enwau di-ben-draw y llyfr trwchus ? Beth yw cyfrinach ei apêl ?

Gallaf ddeall y gŵr llwyd ei wedd sy'n edrych ymlaen yn awchus at ddyfodiad beunosol y papur lleol a cholofn y marwolaethau. Y mae o leiaf yn y rhestr honno yr adlewyrchu bywyd sy'n nofelaidd ei bosibiliadau. Marw sydyn y dyn y mae astrusi ei ffyrdd yn y byd mor ddyrys anobeithiol fel nad oes iddo ymwared ond yn nihangfa'r angau ; symud annhymig y fam ifanc mewn damwain ar y ffordd, a'r ddau blentyn a arbedwyd ; terfyn taith yr hen wraig a fu farw'n oer yn ei hystafell ddi-dân. Mae yno storïau yn y cofnodion hynny, storïau tensiynau bywyd a chreulonder y tynghedau didostur. Ac i'r gŵr llwyd hwnnw yn unigrwydd ei bedwar ugain mlynedd y mae yng ngolofn y marw y gwefreiddio rhyfedd a ddaw o ddarllen am fyned un arall o'r hen gydnabod, fel gwefr y joci sy'n gweld baglu ceffyl arall wrth ffens olaf ond un y ras. Mi wn i am hynafgwr y mae'r rhestr farwolaethau yn penderfynu'n wythnosol siâp ei ddyddiadur ac amserau ei apwyntiadau—gŵr sy'n trigo yn ei ddillad du ac yn byw rhwng mynwent a chrematoriwm, ac nad oes yn ei glustiau ond y llafar offeiriadol sy'n danfon enaid at ei Wneuthurwr. Gŵr ydyw y mae obsesiwn ei farw ei hun yn esgor ar bleser dieflig o weld marw'i gymdogion. Ond gallaf ei ddeall.

A gallaf ddeall hefyd ddarllenwyr taer yr hysbys-ebion personol, y prynu a'r gwerthu lleol, y march-nata ail-law a'r bargeinio rhad. Gallaf ddeall y darllenwyr sy'n darllen heb fwriadu prynu, y sawl sy'n cael boddhad o sylwi fod pram ar werth yn

Rhif 40 Bron-y-coed, fel petai hynny'n awgrymog arwyddocaol. A'r sawl sy'n dadansoddi'n Uwch-feirniadaidd y ffaith fod gwraig y doctor yn hysbysebu cot-ffwr am bris rhesymol. Mae cymdeithaseg y cwm rhwng llinellau'r hysbysebion hyn ac yn y darllen ohonynt ryw seicoleg gartrefol. A chystal i mi gyfaddef fy mod innau'n treulio aml awr yn pori yng ngholofanu'r moduron ail-law heb brynu na bwriadu gwneud. Ond nid oes gennyf gof i mi erioed fynd i'r gwely yng nghwmni'r *Cyfeiriadur*.

Bûm yn gorwedd gyda'r *Britannica* unwaith neu ddwy, ond nid mewn darllen systematig ohono. Rhyw chwilio golau ar fater tywyll, efallai ; rhyw lanw twll o anwybodaeth. Gwn trwy brofiad, felly, nad hawdd yw rhannu gwely gyda chorff o faintioli nid bychan, boed lyfr neu wraig. Ac nid rhyw slipen denau o ferch mo'r *Cyfeiriadur*. Beth felly yw cyfrinach y cyd-orwedd anghyffredin ?

Yn yr ymchwil am ateb euthum at y llyfr ei hun. Nid oedd ar gael ar y pryd ond un o gyfrolau trwchus a niferus Llundain. Ond fe wnâi hwnnw'r tro yn iawn. Wedi'r cyfan, 'oes gwahaniaeth rhwng un cyfeiriadur ac un arall ? Wedi darllen un fe ddarllensoch y cwbwl. Dechreuais yn y dechrau, A.

> Aaron. A. A. . . .
> Aaron. A. E. . . .
> Aaron. Alan E. . . .
> Aaron. Bev. . . .
> Aaron. Dave. . . .
> Aaron. E. . . .
> Aaron. Edw. . . .
> Aaron. Ephraim . . .

Wyddwn i ddim fod y *diaspora* yn beth mor eang ei

wladychiad. Rhifo sawl Aaron oedd yn pabellu yn
Llundain. Dim ond dau ar bymtheg. Ond o
ychwanegu *S* at yr enw gellid rhifo chwe deg saith.
Ac yna, yr *Aaronbergs* a'r *Aaronsons*, a'r llwythau eraill.
Diddorol iawn. Beth am Gymry ? Gwerthwyr
llaeth, perchnogion sinemâu, gwŷr y gwestai dirifedi.
Dechrau gyda Jones, a digalonni ar unwaith ;
'roedd yno dri ar ddeg o dudalennau ohonynt, ac
ar bob tudalen ryw drichant o enwau. Nid oedd
bwrpas yn y byd mynd at y Davies, y Lewis, a'r
Williams. 'Roeddwn yn dechrau deall cyfrinach y
Cyfeiriadur. Gallwn ddamcaniaethu ynglŷn â dawn
y Cymro a'r Iddew i wasgaru a chenhedlu, a thynnu
casgliadau o'r ystadegau.

Erbyn hyn wrth gwrs y mae gan y cyfaill o Graig-
cefnparc y tudalennau melyn i'w ddifyrru. Beth
fydd pen-draw y wybodaeth gynhwysfawr a all
darddu o'r mannau hynny ? Sawl cigydd sydd
wrthi o fewn cylch o ugain milltir ? Sawl barbwr
sydd yng Nghwmrhydyceirw ? Sawl clwb yfed yn
y Creunant ? Mae'r atebion yno, yn y llyfr mawr.
Ac nid wyf innau mor siŵr bellach mai ffolineb hollol
yw ymchwilio brwd y colier o'r Graig.

Ni cheir mewn potel laeth ond y mesur cymwys y telir amdano—cyfiawnder y glorian, tegwch y cydbwysedd perffaith. Fe delir am beint, peint a geir—dim mwy, dim llai. Nid felly 'roedd hi yn nyddiau Joseff y llaeth.

' Pwy yw Joseff, 'mhlant i ? ' gofynnodd y pregethwr yn y Cwrdd Plant, gan gyfeirio at y llanc yn ei siaced fraith. Fy mrawd byrbwyll a atebodd, a rhoi i mam bwl o gywilydd,

' Mae e'n dod â lla'th i'n tŷ ni '.

Joseff y llaeth, o Ryd-y-fro, un o'r wynebau aneirif sy'n britho cyfreslun fy mhlentyndod. Dyddiau hir oedd y rheiny. Rhwng gwawr a machlud 'roedd llwyfan eang o chwerthin ac wylo yn yr haul a'r glaw. Erbyn hyn mae'r dyddiau'n fyr, yn annioddefol o fyr, a phob awr megis fflach eiliad. 'Dyw'r munudau ddim yn bod bellach yn yr ymgyflymu hwn. Ond hir a diddiwedd oedd oriau'r plentyn pan oedd tymor cynnes y rhedyn megis canrif ddi-orwel.

Eisteddwn yn gynnar ym moreau byw y Sadwrn ar wal isel ym mhen uchaf y stryd. Yr oedd yn y wal honno—y mae o hyd mewn gwirionedd—garreg lefn ar ffurf sedd fechan, ac yng nghlydwch y sedd honno yr eisteddwn, a'r clustiau main yn ceisio mesur y pellter rhyngof a sŵn bitw'r pedolau mewn stryd arall. Âi'r pellter yn llai ac yn llai, y sŵn yn fwy ac eglurach. Ni ellir disgrifio melyster y disgwyl hwnnw, y melyster od a phleserus hwnnw sy'n gryndod yn yr ymysgaroedd, tebyg i wefr y glaslanc ar ei ffordd at gadw oed â'i gariad newydd am y tro cyntaf. Ond nid disgwyl rhyw groten fach oleubryd yr oeddwn i ar y Sadyrnau heulog hynny. Ceffyl a chart Joseff y llaeth oedd gwrthrych fy serch, a miwsig i mi oedd ' Wo-w ' y llaethwr pan gyrhaeddai ben y stryd. Arhosai'r gaseg oedrannus a rhoi cyfle i grwt hapus gamu'n fras i lawr uchel y cart cyn ail-gychwyn ar antur y rownd.

Ond nid y reid oedd uchafbwynt y pleser, nid y sefyll balch rhwng y piseri trymion wrth fynd ar hyd y stryd fel Caradog yn Rhufain, y pen yn uchel a'r llygaid yn ddisglair ddewr. Penllanw'r boreau Sadwrn oedd cael yr ystên fach yn fy llaw a bod am rai munudau yn ddyn llaeth go iawn, bod yn Joseff bychan, ac arllwys o'r ystên i'r cwpan mesur y llif gwyn glân, ac o'r mesur metel i'r jwg briddyn ar y sil-ffenest. Ac yna'r ddefod ddistaw, yr atodiad defosiynol, y cymundeb ar ôl y cwrdd—arllwys y diferion ychwanegol, diferion yr haelioni. Gwelswn Joseff ei hun yn gweinyddu'r sacrament honno wrth arllwys i'n jwg ninnau ac nid amheuwn ei fod yn gwneud felly ymhob tŷ. A dilynwn ei esiampl. Am beint y telid, ond nid peint a geid. Ceid mwy na'r mesur cyfiawn, yn niferion y caredigrwydd tawel.

Aeth Joseff i ffordd yr holl fyd cyn dyfod y poteli cyfiawn, union eu mesur, i glindarddach yn rhuthr dyn bach prysur y Cwmni mawr unedig nad oes yn ei fôr gwyn ddiferion yr haelioni a gollwyd. Nid ' Hen Fenyw Fach Cydweli ' sydd heddiw yn rhifo'r gwahaniaeth rhwng y deg cyfiawn a'r un ar ddeg caredig. Deg am ddimai yw hi bellach—dim mwy, dim llai.

Mae'n naturiol bod gŵr canol oed yn rhamantu ynglŷn â'r hyn a fu ; un o'r pleserau sylfaenol y mae'n rhaid wrthynt yw'r hiraethu atgofus a ddaw yn llaw'r blynyddoedd byr. Mewn gwirionedd, a oedd 'no garedigrwydd yn y dyddiau pell nad oes ond cysgod gwan ohono erbyn hyn ? ' Rhowch imi ddoe ', meddai James Williams, rhowch imi'r hyn a fu, rhowch imi'r dyddiau da, rhowch imi'r hyn a gollwyd yn y gwynt. Ni all y pellter ond prydferthu'r llun.

Ar wahân i'r bore cyntaf, bore dagreuol y rhwygo dwylo, fe aeth fy mab i'r ysgol yn ddirwgnach ddiddig. Nid oes angen protestio yn erbyn profiad dymunol, ac mae mynd i'r ysgol, a'i lyfr yn ei law, yn arfer hapus iddo nad oes angen poeni yn ei gylch. A daw 'nôl i de yn fodlon ar ei fyd. Nid felly finnau. Yr hyn a gofiaf i yw mêl y Sadyrnau a chwarae'r dyddiau gŵyl. Nid oes imi yn yr atgof am ysgol ddedwyddyd addysgu fy mab. Cansen lem hen fwgan o athrawes am anghofio golchi fy nwylo ar ôl yr egwyl chwarae ; dychryn yn y bola bach wrth fy nghael fy hun yng ngafael ddiollwng y creulongi mwyaf yn yr ysgol, a neb i'm helpu ; blas bwyd y cantîn yn wermod ar dafod ; tynnu dannedd yn y clinig, a menyw o ddeintydd yn stwffio'i bysedd nicotîn i'm ceg anfodlon wrth chwilio poen y gwreiddyn drwg ; methu â dysgu pennill ar y cof a sefyll yng nghywilydd unig cornel yr alltud. Nid oes i mi bleser yn y cof am ysgol. A dyna paham y mae llygaid y gweld rhosynnog yn gwrthod disgyn yn nyddiau'r hwiangerddi sialc a'r bwrdd-du du. A dyna'n union ddyddiau teg Joseff y llaeth.

Ond nid rhamantu a wnaf wrth resynu am ddiflannu'r diferion yng ngwaelod y mesur. Fe ddigwyddodd hynny'n sicr. Oni ddigwyddodd hefyd fyned, i raddau helaeth, y diffuantrwydd cyfeillgar sy'n sail i haelioni ? Ewch â'r car i'r garej anferth i'w drin gan fecanyddion anhysbys ym mherfeddion y neuaddau swnllyd. Cewch gasglu'r

car am dri o'r gloch, yn ôl gŵr gwyn y cownter.
Cewch aros, ac aros, ac aros ; dewch 'nôl yfory, ebe
gŵr gwyn y cownter. Mi fydd yn barod yfory. O
cewch, fe'i cewch yfory yn ddi-ffael—efallai. Yr
addewidion gwag, simtomau y gwacter mwy,
gwacter y mesur nad oes yn ei waelod olion y
diferion hael. Trefnwch â'r saer ynglŷn â phren
pwdr y ffenest fawr. Daw, fe ddaw i newid y pren ;
gosod ffrâm newydd sbon a gwneud job iawn. Daw,
fe ddaw. Ac efallai y daw ymhen deufis neu dri, os
na chaiff yn y cyfamser job arall a chyfle i addo'n
frwd a hael i gwsmer newydd. Ydy, mae Joseff wedi
marw bellach, a'r ystên garedig yn rhydu yn y glaw.
Mae byddin y poteli'n cymryd trosodd ; safant ar sil
y ffenest yn rhes o filwyr bach sgleiniog, yn y man
lle gynt y gweinyddid sacrament gartrefol y caredig-
rwydd hael.

'Pwy yw Joseff, 'mhlant i ? '—Simbol y diferion
a'r mesur mwy na'r gofyn, arwyddlun y gwerthu
caredig a'r byw cymdogol, ymgorfforiad o'r gwerth-
oedd a ddiflannodd gydag ymbellhau eco'r pedolau
yn sŵn hagr y peiriannau gwenwynig. Yr un a
daflwyd i bydew.

BOD YN ACTOR

' Duw, cariad yw ' oedd geiriau cyntaf y sgript. Rheol nos Sadwrn—dysgu adnod newydd erbyn trannoeth. Nid oeddwn yn ddysgwr cyflym, ac yr oedd cofio sŵn y geiriau a threfn eu dweud yn dipyn o straen ar y cof ffaeleddus. Âi'r straen yn fwy am hanner awr wedi deg ar fore'r Sul canlynol.

Cychwyn am y cwrdd, a'r adnod fach yn canu'n sicr yn y meddwl ; cyrraedd y cwrdd ac un gair ar goll, a hwnnw'n air ar ganol brawddeg. Penderfynu peswch yn huawdl yn y bwlch hwnnw. Treuliwn hanner awr y Rhannau Arweiniol yn gwylied y cadno llonydd ar ysgwydd fy mam-gu. Addolwr cyson oedd y creadur hwnnw, ond yn ei ddefosiynau distaw ni allai ef, fel Abel Huws, gau ei lygaid botymog wrth weddïo. Gweddïwr llygad-agored ydoedd, fel minnau. Gwyliwn y gwragedd yn crymu'n weddigar dan bwysau yr hetiau ffrwythlon a blodeuog. ' Dyrchafaf fy llygaid i'r mynydd-oedd . . .' Gair arall ar goll ; dau besychiad. Nesâi amser y llefaru Beiblaidd, y sefyll ar lwyfan y sedd a dweud y geiriau. Pan fyddai pregethwr dieithr yn y pwlpud, un o'r diaconiaid, Daniel Morgan, *Registrar*, fyddai'n galw'r actorion bach at eu gwaith. Gŵr byr penwyn oedd Daniel Morgan, dyn bach pert mewn gwasgod ddu, a phlêt ei drywsus streip fel cyllell. 'Roedd ganddo lygaid siarp hefyd, llygaid i weld, ym mhellter y fforestydd hetiau, yr un bach nerfus a lechai y tu ôl i lwyn mawr Mrs. Davies, Tŷ Top. Gwelwn Daniel Morgan, bob amser, fel lleidr pen-ffordd, yn un yr oedd yn rhaid imi roi trysor fy adnod iddo, yn ofnus ffwdanus, a'r geiriau fel sofrennau'n treiglo i bob man, fel petai twll yng nghwdyn y cof. Ond ar ôl aberthu'r adnod cawn daffen gan fy mam-gu, *mint imperial* a blas camffor y Sul yn drwm arni.

Fe gryfhaodd cof yr actor gyda threigl araf y blynyddoedd. Fe dyfodd adnod yr oedfa yn gyfarch aml-eiriog y brenin goludog o'r dwyrain ar lwyfan y festri. Ac erbyn hynny cafwyd dillad yn ogystal â geiriau. Rhaid i actor wrth ddillad. Dillad a barf. Cefais y naill a'r llall yn nrama Gŵyl y Geni. Cynhelid yr ymarferiadau ar nos Lun, yn awr y Gobeithlu. Cawn hwyl yn y sesiynau hynny, gwell hwyl nag a gawswn ar fod yn ddiniweityn bach pluog yn ' Ymgom yr Adar '. Nid oedd yn y cantata adeiniog gyfle i'r actor dawnus ; sefyll yn stond, a chanu ' fel cana'r aderyn '—dim mwy na hynny. Dim symud, dim ystum arwyddocaol, dim melo-drama yn y dwylo, dim ond canu. Gwahanol iawn oedd bod yn un o'r doethion yng ngoludoedd sidan y papur crêp a gwychder y goron gardbord. Ac ysblander barf ! Erbyn hyn mae gen' i farf naturiol —am resymau hollol ymarferol. Rhy ifanc oeddwn ym mlwyddyn gynnar y doethion i dyfu barf, ac felly cefais farf-osod, un a grogai'n gam wrth y clustiau. Ac yn y ddiwyg honno, llefarwn fy ngeiriau —' Gwelsom ei seren ef . . .'—a symud yn gamelog bwrpasol at breseb y bocsus orenau lle gorweddai'r baban plastar disymud . . . ' Rhoddaf aur iddo ' . . . a phenlinio'n ddwys ar bren caled Palesteina, a'r papur crêp yn rhwygo'n beryglus ddadlennol o gwmpas fy nghanol. Euthum yn ôl i'r dwyrain, ar hyd ffordd arall, ac aeth y ddol i'r Aifft.

Mae gennyf gefnder sydd bellach yn bennaeth ar Adran Ddrama yn un o'r colegau. Pan oeddem blant treuliem aml nos Sadwrn yn y gegin gefn yn ymarfer dawn yr actor mewn ffantasïau gafaelgar. Diau i'r cefnder hwnnw dyfu fel actor ym mhrentis- iaeth y perfformiadau hynny. Fe'i gwelais flynydd- oedd wedi hynny yn Hofacker urddasol yn siwt smart y *Gestapo*, yn un o wŷr cyrliog Molière, yn Llew Llaw Gyffes cadarn, yn ysbryd Banquo wrth y ford. Ac ymhob un ohonynt gwelwn y crwt bach yn nrama'r gegin gefn. Gweithgareddau'r capel oedd ffynhonnell ein dramadeiddio—'cwrdde mawr', bedydd plentyn, priodas, y cymundeb. Drama'r cymun oedd ein drama fawr. Set syml o gadeiriau a bwrdd, ac ar y bwrdd yr elfennau cartrefol, y bara a'r dŵr. A'r ymadroddion ar y cof—'Hwn yw fy nghorff . . . Y cwpan hwn . . . Ewch a rhennwch yn eich plith ' . . . Ni allaf yn fy myw deimlo bod llefaru plentynnaidd-ddramatig y geiriau hynny yn gab- leddus o gwbl. Bu fy rhyfyg yn llawer iawn mwy wrth eu llefaru droeon ym mlynyddoedd y gŵr aeddfed a'r actor cyfrwys. Yn y chwarae plant 'slawer dydd nid oedd y geiriau ond sŵn braf i'w ynganu o lwyfan ein dychymyg. Bod yn bregethwrol sobr, yn ddiaconaidd stiff, oedd y gamp ddramatig ; adlewyrchu yn nhywyllwch y llygaid difrifol ac anystwythder cymalau'r corff ddiflastod caethiwus y gwŷr duwiol a adwaenem. Ni bu cyflwyniadau amrwd theatr fach y gegin yn ofer.

Mae gwisgo'r mwgwd yn rhan ohonof bellach, yn rhan o'r ymddangos beunyddiol o flaen cynulleidfa fy nghydnabod. Nid barf mo hon y gellir ei diosg ar ddiwedd y perfformiadau ; nid perfformiadau sydd, ond un perfformiad hir diddiwedd. Ni ddaw'r paent o groen yr wyneb. Ac nid oes angen erbyn hyn ddysgu'r llinellau a'u clymu wrth y cof ; daw'r geiriau'n reddfol a naturiol. Dylwn roi hysbyseb yn y papur—' Bydded hysbys i'm holl gydnabod nad yw cylchoedd ein cyfathrebu ond theatrau y mwgwd a'r gair ffug, nad yw ein cyfathrachu namyn drama wag '. Mae gwyngalch ar y beddau.

Annheg fyddai honni mai ar lwybr y Suliau y deuthum o hyd i'r gwyngalch sy'n prydferthu'r annymunol. Ac eto, yno yn gynnar y gwelais mai buddiol oedd dysgu'r geiriau a'u dweud yn dda— cawn daffen gamffor gan mam-gu, a stamp at yr albwm ffyddlondeb gan Daniel Morgan, *Registrar*. Cefais gopi o ' Y Morwr a'r Merthyr ' am gasglu chweugain at y Genhadaeth Dramor, am lefaru'r geiriau'n berffaith, yn dyner apelgar—' 'Garech chi roi rhywbeth i helpu'r plant bach du ym Madagasgar ? ' Hoffwn y llaw famol ar y pen a'r ganmoliaeth wrth gael y pensil 'nôl—' Dyna fachgen da '. Cefais gopi bach coch o Lyfr y Salmau gan Marged Ann Jones am ddysgu salm gyfan ar fy nghof a'i hadrodd yn yr Ysgol Sul. Fe gaech bopeth ond dweud y geiriau iawn yn y mannau iawn. A hyd y gwela' i hynny sy'n wir o hyd. Mae pesychiad cyfleus yn cuddio bwlch. Bod yn gadno bach sydd orau, fel hwnnw ar ysgwydd fy mam-gu, y cadno defosiynol llygad-agored. Bûm yn chwarae rywdro yn un o ddramâu James Bridie, chwarae dyn dall. Gyda mi yn y ddrama honno yr oedd merch ddawnus sydd erbyn hyn yn actores broffesiynol nid anenwog yma ac yn theatrau Llundain. Ond mae'n siŵr gen' i na fu perfformiadau graenus Siân Phillips, a bu llawer ohonynt, yn fwy effeithiol na'm hactio innau ar lwybrau'r cynefin hwn. Yn y ddrama ysgol honno mi ddysgais sut oedd bod yn ddyn dall a'm llygaid yn llydan agored. Bûm felly ers blynyddoedd bellach : yn llwynog yr adnodau derbyniol.

Ni wn sawl act fydd yn y ddrama hon, ond mae gen' i syniad lled dda beth fydd geiriau olaf y sgript a llinell y llenni—

' Pe rhodiwn ar hyd glyn cysgod . . .'

GWEAD Y GAIR

Gellir rhoi gair rhwng bys a bawd, a'i deimlo. Ei
ddal, fel brethyn, yng ngafael sensitif y croen a
gadael i'r gwead ddeffro'r nerfau. Felly y gwnâi fy
mam-gu wrth brynu gwlanen ym marchnad Aber-
tawe. Nid oes gennyf innau fysedd i adnabod
defnyddiau, ond mae gennyf hoffter o drafod y
geiriau, eu tolach nhw ar flaen y llaw, eu rhwbio
nhw'n dyner ysgafn ac ymhèl â'r edau glos sydd yn
eu cymhlethiad.

' Structure and texture are the parents of rhythm
in poetry ', meddai rhywun. Bu'r gair ' texture ' yn
air anodd i mi am flynyddoedd. Fe olygai'r elfen
honno mewn gwrthrych y gallai dyn ymateb iddi
drwy gyffyrddiad yn unig. Rhoi llaw ar wyneb
carreg o'r mynydd a theimlo gerwinder ei gwneuth-
uriad ; carreg arall o'r afon, a'i chorff yn llyfn ac
esmwyth rhwng y bysedd. Gwasgu cledr y llaw ar
dwmpath y mwsogl, tynnu bys trwy ddŵr crych y
nant, pwyso'r croen ar dywod a phridd—profiadau
felly oedd profiadau'r gwead. Profiad llaw y plentyn
ydoedd, profiad Begw wrth gerdded ' yn araf hyd y
llwybr gan dynnu ei llaw ar hyd cerrig y wal, er
mwyn teimlo garwedd y cymrwd ar ei bysedd '.
Gallwn ddeall y profiad hwnnw, profiad y gwlanen
a'r brethyn.

Ond nid profiad i'r bysedd yn unig mohono.
'Roedd ceisio deall hynny'n fwy anodd. Er
enghraifft, gwead y gwin ar dafod. Nid y weithred o
gyffwrdd a fesurai'r grawnwin yn y profiad hwnnw
yn gymaint ag ansawdd y blas, y peth od hwnnw
sy'n bywiocáu blagur y tafod. Nid gwybod y
gwahaniaeth rhwng cwrw a gwin—fe all unrhyw

ffŵl wybod hynny, am wn i—ond y dadansoddiad manwl o wead y naill a'r llall. Dirgelwch oedd hynny i mi. A dirgelwch hefyd gyfrinach y sawl a allai sôn am ' texture ' alaw a sonata, gwead y seiniau mewn sŵn celfydd, ymglywed â rhediad pob edefyn yn y darn. Rhyw gymysgu'r synhwyrau oedd hyn. Ac eto, o feddwl, nid peth dieithr mohono. Oni chefais y profiad yn blentyn o daro fy mhen-ôl, wrth syrthio, yn galed yn erbyn y llawr a disgrifio'r teimlad fel blas melys siwgr ar dafod ? A sôn am flas banana fel effaith lliw arbennig ar y llygaid ? Onid cymysgu'r synhwyrau oedd hynny ? Ond anodd oedd deall yr un pryd. Anodd oedd deall meddwl y gŵr hwnnw a soniai am ' texture ' wrth egluro cyfrin gelfyddyd y darlun olew ar y wal. Teimlo drwy'r llygad erwinder y tonnau paent ar y môr.

Deuthum gydag amser i garu geiriau, a bu hynny, am wn i, yn help imi ddeall ' texture ' y gwin a'r gân, y gân a'r llun. Daeth gair, fel merch, yn rhywbeth i'w anwylo a'i faldodi, yn rhywbeth i feddwl yn hir amdano a cholli cwsg o'i blegid. Yr oedd i eiriau hefyd eu gwead, eu gerwinder a'u llyfnder, eu caledwch a'u meddalwch, harddwch eu sŵn a chyfoeth eu lliw. Fe ddaw rhamant geiriau yn gynnar i blentyn. A dawn y plentyn yw dawn y bardd yn y gwaelod. Nid yw gair ond sŵn ystyrlon. Erbyn hyn, ysgrifennir barddoniaeth nad yw ond sŵn yn unig, sŵn nad oes iddo ystyr mewn un geiriadur. Profiad anghyffredin yw clywed bardd fel Ernst Jahndl yn llefaru ei gerddi di-eiriau di-gystrawen. Ond barddoniaeth y baban yw honno, nid barddoniaeth y plentyn. Ni thyfodd y sŵn yn air.

Cofiaf yn dda'r gair rhyfedd a ogleisiai fy nghlust a'm dychymyg pan oeddwn yn grwt bychan iawn. Byddai clywed ynganu'r gair hwnnw gan rywun yn fodd i dynnu chwerthiniadau dagreuol ohonof. Yr oedd i'r gair ystyr, a gwyddwn yr ystyr yn ddigon da ; gwelwn y gwrthrych yn aml ar ford y gegin amser bwyd. Ond ni fyddai gweld y peth, oni bai bod y gweld yn peri cofio sŵn y gair, yn effeithio arnaf o gwbl. Ond unwaith y clywn y sŵn, ni allwn ymatal. Y gair oedd ' chutney '. Fe gollodd ei effaith erbyn hyn, mae'n dda gen' i ddweud.

A chofiaf hefyd air arall, gair a glywais mewn gwers Saesneg yn yr ysgol. 'Wyddwn i ddim beth oedd ystyr y gair, ond 'roedd yno hud yn ei ddweud. Darllen ' Othello ' yr oeddem, a'r athro'n llefaru geiriau Iago—

> ' Not poppy, nor mandragora,
> Nor all the drowsy syrups of the world,
> Shall ever medicine thee to that sweet sleep
> Which thou owedst yesterday '.

—a'r gair ' mandragora ' yn mynd ar unwaith yn air i'w ddal ar y tafod, yn air i'w sibrwd yn y tywyllwch, yn sŵn i'w ynganu'n isel yng nghysgod y nos. Ac 'roedd yn air i'w roi rhwng bys a bawd, a gwead ei wneud yn deimlad da rhwng y crwyn.

Mae'n ffaith hysbys ddigon i'r sawl sy'n gyfarwydd â'r cyfrolau dwyreiniol hynny a gedwir yn saff dan glustog, neu dan glo yn y parlwr, y llawlyfrau cnawd fel petai, fod sŵn llafar yn gyfeiliant effeithiol i'r teimladau cyntefig, a'i fod hefyd yn gyfrwng dyfnhau'r teimladau hynny pan fo angen. Mae ynganu pwrpasol ar sŵn addas yn gallu rhoi min ar y dychymyg, medden' nhw. Ond rhyfedd fel y'n cyflyrir i adweithio i air annerbyniol. Ni allaf yn fy myŵ ddod yn gyfarwydd â'r sioc o weld y geiriau bach Eingl-Sacsonaidd hynny sydd wedi cymryd eu lle erbyn hyn yn y llyfrau mwyaf gweddus eu diwyg. Bûm yn darllen rhai o gerddi Adrian Mitchell neithiwr yn ei gyfrol *Ride the Nightmare*, ac oni bai fy mod yn ysgrifennu yn yr iaith a gasglodd o'i chwmpas ryw gochl o barchusrwydd mae'n debyg y buaswn yn dyfynnu yn y fan hon bennill neu ddau a godai wallt y darllenydd, neu o leiaf wrid ysgafn ar ei foch. Ond pam y sioc ? Nid sôn yr wyf am syniad neu ystyr ; sôn am sŵn yr wyf (gydag ymddiheurad i Morgan Llwyd). Y sŵn sy'n rhoi'r sioc, nid y syniad.

A'r sŵn hefyd sy'n rhoi pleser yn y geiriau da, sŵn yr edafedd yng nghyfansoddiad y gair. Ni allaf esbonio swyn gair megis ' hydrefau ', ni allaf ond dweud bod ei bwysau ar fy nhafod a'i dreiglo dros fy nghlyw yn hollol yr un fath â phrofiad y gwlanen rhwng y bysedd. Wrth gwrs, mae yno rywbeth ynglŷn â lluosog-enwau. Darllener ffrwyth awen bardd y *Cylch o Gerddi* a'u gweld yno yn diferu yn ddirgeleddau, yn ysgydwadau, yn grawniadau, yn gofnodiadau, yn daenelliadau, yn synwyriadau . . . O oes, mae yno rywbeth ynglŷn â lluosog-enwau.

Pan âi mam-gu i Abertawe a sefyll yn y farchnad wrth y stondin wlanen yn bodio'r defnydd, neu'r denfydd ys dwedai hi, fe wnâi hynny nid er mwyn cael y profiad o'i deimlo'n unig ond er mwyn profi'r gwead. A fyddai'r gwead yn gweddu i gnawd fy nhad-cu, yr un a fyddai'n gorfod gwisgo'r crys gwlanen yn ei wely neu wrth y ffwrnes agored ?

Fel rhan o'r cynnyrch terfynol y gwelai mam-gu gymhlethiad y stwff. Ac felly y dylwn innau weld gwead y geiriau. Efallai fy mod yn rhy aml wedi sefyll yn rhy hir wrth y stondin ; nid wrth fodio'r stwff mae gwnïo crys.

MYND I'R CWRDD HEB DRYWSUS

Cyn rhoi'r pensil yn fy llaw ac ychwanegu yn yr
ysgrif hon at y darlun ohonof y dechreuwyd ei dynnu
yn yr ysgrif gyntaf, euthum at y llyfrau yn y gobaith
y cawn oleuni ar arwyddocâd y freuddwyd. Er bod
Montaigne wedi cyhoeddi ' Myfi fy hunan a
bortreadir gennyf ', yr oeddwn am sicrhau na
fyddwn innau yn dadlennu gormod ohonof i fy
hun, yn enwedig mewn cysylltiad â natur fy
mreuddwydion. Mae gennym erbyn hyn yng
Nghymru seiciatryddion sy'n darllen ac yn
ysgrifennu Cymraeg, ac mi fyddai'n gas gennyf
weld, mewn llythyr i'r *Cymro* neu'r *Faner*, ac yn
enwedig i'r *Tyst*, sylwadau ar wreiddyn cuddiedig fy
nhueddiadau breuddwydiol innau. Mae'r gwefr o
weld eich enw mewn print yn dibynnu ar y cyd-
destun. Ond 'ches i ddim eglurhad wedi'r cyfan, ac
felly dyma ddadorchuddio'r cyfrinachau mwyaf
peryglus i barhad enw da.

Mynd i'r cwrdd heb drywsus oedd yr hunllef ;
nid oedd unrhyw deimlad o foddhad pleserus yn y
profiad a barai imi ei galw'n freuddwyd fach
dderbyniol a chymeradwy. Deffrown, oblegid fe
ddigwyddodd fwy nag unwaith, yn chwys i gyd o
feddwl bod aelodau'r Chwaeroliaeth wedi rhythu'n
syfrdan arnaf a minnau'n noeth o'm bogail i fysedd
fy nhraed. Ac nid eistedd yn unig a wneuthum yn
ystod yr oedfa hunllefus ; fe fu'n rhaid imi sefyll ar
flaen y galeri uwchben y pwlpud a chanu solo, a
honno'n solo hir. Diolchaf o hyd nad yw'n arfer
gennym yn y capel ddisgwyl ' encore '. Yr hyn a
wnâi fy sefyllfa yn annioddefol gywilyddus oedd y
ffaith fod pawb arall wedi gwisgo'n weddus o'u

corun i'w sodlau sidêt. Pe buasai gennyf yn fy
noethni ryw gymaint o gwmni ni buasai fy mreudd-
wyd mor arswydus. Dyna hanner y frwydr, medden'
nhw, pan fyddwch yn mynd am bythefnos o haul i'r
mannau dirgel hynny lle mae pawb yn ddigywilydd
noethlymun. Mae pawb yno yn yr un picil. Mae
gennyf ryw deimlad imi gael breuddwyd arall
flynyddoedd yn ôl lle'm cefais fy hun mewn lle
felly—yng ngwersyll gwyliau'r naturwyr noeth—
wedi fy ngwisgo mewn siwt angladdol ddu, hollol
anaddas i'r haul. Ond nid wyf yn siŵr ; efallai mai
darllen llyfr a wneuthum. Ond nid darllen llyfr a
wneuthum am yr oedfa honno.

Wrth gofio 'nôl a meddwl am yr hen beth, mae'n
rhyfedd na welodd neb yn dda i gynnig imi ryw
fath o ddilledyn i guddio fy ngwarth. Ond ni bu
neb mor gymwynasgar â hynny ; dim ond edrych.
Ac am wn i mae'r ffaith honno'n ddameg.

Nid wyf yn credu fod ynof dduedd narsisaidd, ac
eto fe ddigwyddodd y freuddwyd ddwywaith neu
dair er bod lleoliad yr argyfwng yn wahanol ambell
waith—gwn mai siopa yn y *Co-op* 'roeddwn yn un
ohonynt. Mae'n debyg fod llawer ohonoch wedi
cael yr un math o freuddwyd ond heb fagu digon o
blwc i ddweud hynny ar bapur. Fodd bynnag, nid
wyf innau'n poeni gormod. Cefais freuddwydion
llawer iawn gwaeth.

' Wele'r breuddwydiwr yn dyfod ', ebe'r brodyr
eiddigeddus. ' Deuwch gan hynny yn awr, a lladdwn
ef '. Brawd od yw'r brawd o freuddwydiwr, un
gwahanol i'r rhelyw, un nad oes iddo le yn y teulu.
Ac nid oes angen i'r freuddwyd fod yn freuddwyd od
fel yr eiddof innau. Gall fod yn freuddwyd syml,
amlwg ei hystyr a chlir ei harwyddocâd. Y dyn sy'n

od, nid yr hyn a wêl. Ond breuddwydwyr ydym oll.

Mae fy mhlentyn hynaf yn ofni'r tywyllwch. Nid yw hynny'n beth annisgwyl o gofio bod ei dad hefyd yn anesmwyth ei feddwl yn absenoldeb y golau. Ond mwy na hynny mae'r un bach yn ofni cwsg, ac ofn yw hwnnw sy'n greulonach o lawer. Mae ganddo resymeg hollol ddiogel—'Pan af i gysgu, 'rwy'n breuddwydio, a phan fydda' i'n breuddwydio, 'rwy'n gweld hen bethau cas . . .' Ac felly, nid yw am gysgu. Ond fe ddaw cwsg bob nos. Pan ddigwydd y pethau annymunol fe ddeffry'r plentyn yn ddi-ffael. Ond fe gaiff freuddwydion sy'n amlwg bleserus ac yn fwynhad pur, ac nid yw'n deffro o afael y rheiny. Fe'i clywais fwy nag unwaith yn chwerthin yn ei gwsg braf. Pan ddigwydd hynny caf innau hefyd foddhad o wybod nad yw'r anghenfilod ar lwybrau'r nos honno. Ond ni allaf rannu'r freuddwyd ag ef. Y mab piau honno, yn ei fyd preifat ef ei hun, ym maes y golygfeydd na wêl neb mohonynt ond y breuddwydiwr ei hunan.

Prin iawn yw cilfachau'r gyfrinach bellach. Yn y byd sydd ohoni fe aeth yn anos i neb ohonom guddio'r cyfan. 'Slawer dydd, os gellir credu'r hyn a ddywedai fy nhad-cu, mi fyddai ambell ddihiryn o Gwm Tawe yn dianc i fan y gallai deimlo'n hyderus na fedrai neb ddod o hyd iddo. A'r man hwnnw— nid De America, na fforestydd rhyw wlad grasboeth yng nghanol Affrica, ond Merthyr Tudful a Dowlais. 'Roedd hi'n bosibl i ddyn ddiflannu'n ddim mewn lle felly. Anhygoel, ond gwir. Nid felly heddiw. ' I ba le y ffoaf o'th ŵydd ? ' Nid y Salmydd yn unig sy'n ei chael hi'n anodd i gwato erbyn hyn. Mae llygad y Brawd Mawr yn lled dreiddgar. Fe welodd

un emynydd y Duwdod ei hun yn y termau hynny
pan ganodd

> ' A'th lygad manwl treiddio mae
> I eigion calon dyn '.

Ac mae'r Brawd Mawr yn cyflym symud i'r cyfeiriad
hwnnw.

Yn ystod yr wythnosau diwethaf fe fu gwraig
wrth y drws yma, yn bensil a phapurau i gyd.
Gwneud arolwg yr oedd. Pwrpas yr ymweliad
cyntaf oedd fy holi ynglŷn â'm harferion yfed.
Mae arnaf ofn fod fy atebion wedi sarnu'r ystadegau
a chwythu'r cyfrifiadur yn fwg. Ond yr oedd pwrpas
yr ail ymweliad yn fwy sinistr ei oblygiadau—
holiadur manwl ynglŷn â phob math o ymagweddu
personol, yn emosiynol ac ysbrydol, yn faterol a
meddyliol. Ni allwn lai na theimlo fod y Brawd
Mawr yn sefyll ar stepyn y drws.

> ' I ba le y ffoaf o'th ŵydd ? '

I'm breuddwydion hwyrach. Gallaf o leiaf yn y
dyfnder cudd hwnnw dynnu fy nhrywsus cyn mynd
i'r cwrdd, neu siopa yn fy nghrys byr. Ac ni fydd
neb yn gwybod.

Ond efallai mai dyna fydd maes yr holiadur nesaf.